DEUS ESTÁ CONTIGO

Dados Internacionais de Catalogação na Publicação (CIP)
(Câmara Brasileira do Livro, SP, Brasil)

Woolley, John
    Deus está contigo / John Woolley ; tradução Euclides
Luiz Calloni. — São Paulo : Pensamento, 2014.

    Título original: I am with you.
    ISBN 978-85-315-1892-8
    1. Literatura devocional I. Título.

14-10776   CDD-242

Índices para catálogo sistemático:
1. Livros devocionais : Cristianismo 242

Palavras divinas transmitidas pelo
Padre John Woolley

DEUS ESTÁ CONTIGO

*Deus Está Contigo levará paz e consolo a todos
os que o lerem
Cardeal Cormac Murphy-Oconnor,
Arcebispo de Westminster*

Tradução:
EUCLIDES LUIZ CALLONI

Editora
Pensamento
SÃO PAULO

Título original: *I Am With You — Treasured Words of Divine Inspiration for Everyone as given to Fr John Woolley.*

Copyright © 1984 John Woolley.

Publicado originalmente em UK por John Hunt Publishing Ltd.

Publicado mediante acordo com a John Hunt Publishing Ltd.

Copyright da edição brasileira © 2014 Editora Pensamento-Cultrix Ltda.

Texto de acordo com as novas regras ortográficas da língua portuguesa.

1ª edição 2014.

Todos os direitos reservados. Nenhuma parte deste livro pode ser reproduzida ou usada de qualquer forma ou por qualquer meio, eletrônico ou mecânico, inclusive fotocópias, gravações ou sistema de armazenamento em banco de dados, sem permissão por escrito, exceto nos casos de trechos curtos citados em resenhas críticas ou artigos de revista.

A Editora Pensamento não se responsabiliza por eventuais mudanças ocorridas nos endereços convencionais ou eletrônicos citados neste livro.

Editor: Adilson Silva Ramachandra

Editora de texto: Denise de C. Rocha Delela

Coordenação editorial: Roseli de S. Ferraz

Produção editorial: Indiara Faria Kayo

Editoração eletrônica: Fama Editora

Revisão: Nilza Agua e Yociko Oikawa

Direitos de tradução para a língua portuguesa
adquiridos com exclusividade pela
EDITORA PENSAMENTO-CULTRIX LTDA., que se reserva a
propriedade literária desta tradução.
Rua Dr. Mário Vicente, 368 — 04270-000 — São Paulo — SP
Fone: (11) 2066-9000 — Fax: (11) 2066-9008
http://www.editorapensamento.com.br
E-mail: atendimento@editorapensamento.com.br
Foi feito o depósito legal.

DEUS ESTÁ CONTIGO

De todas as partes do mundo chegam mensagens de apreço sobre estas palavras de estímulo e orientação divina do Senhor Jesus Cristo ressuscitado através do Seu Espírito Santo [...] palavras recebidas em momentos de oração pelo Padre John Woolley, ex-capelão hospitalar britânico. Estas palavras também anunciam a promessa de nosso Senhor de que Sua mensagem se propagará de forma extraordinária — uma promessa que agora se cumpre admiravelmente.

Deus Está Contigo é um apoio sem igual na caminhada cristã, quase sempre difícil, e se revela um companheiro imprescindível nos momentos de oração e de estudos bíblicos. Inevitavelmente, estas palavras produzem a sensação da presença de Deus, transmitem serenidade e fortalecem o espírito. Líderes da Igreja e milhares de leitores (de todas as denominações cristãs) oferecem seu testemunho diário de como este pequeno livro os vivifica e inspira... muitas vezes a ponto de provocar uma mudança radical de vida.

Elogios

"Recomendo *Deus Está Contigo* a todos os que estão procurando aprofundar sua vida espiritual."

(*Cardeal George Basil Hume,
ex-arcebispo de Westminster, Inglaterra*)

"*Deus Está Contigo* é um livro muito especial, que levará suas bênçãos a milhares de pessoas."

(*Cônego John Pearce, Inglaterra*)

"Nunca me senti tão perto de Jesus."

(*Fran Gunning, Estados Unidos*)

"Um devocionário maravilhoso; nós o usamos todos os dias."

(*Dr. Donald English, ex-presidente
da Conferência Metodista*)

"*Deus Está Contigo* tocará profundamente milhares de pessoas."

(*Robert de Grandis, Estados Unidos*)

"O Espírito Santo de Deus respira através de cada página."
(Rev. Robert Llewelyn, Inglaterra)

"O toque de Deus está nestas belas palavras."
(Margaret Green, Canadá)

"Um livro maravilhoso que está sempre comigo."
(Pe. Michael Clothier, O.S.B.)
"Deus Está Contigo é poderoso!"
(Barbara Anicich, Estados Unidos)

"Deus Está Contigo é uma pequena pérola."
(Joyce Huggett, escritora)

"Maravilhosamente inspirador."
(Betty Tapscott, Estados Unidos)

"Deus Está Contigo abre uma maravilhosa porta para a presença de Deus; sua leitura produz uma alegria verdadeira."
(Bispo John Crowley)

"Admirável para devoções diárias."
(Church Times)

"Deus fala de forma muito poderosa."
(Seamus Kilbane, executivo)

"Logo me apaixonei profundamente pelas palavras de Deus."
(Interno em prisão inglesa)

"O livro mudou a minha vida."

(*Pe. F. Bernard, S.J., Índia*)

"O livro mais fantástico que já li."

(*Pe. Tom Cass, Tyneside, Inglaterra*)

★   ★   ★

COMO USAR ESTE LIVRO

As orientações oferecidas em *Deus Está Contigo* são normalmente lidas na ordem apresentada. Não obstante, um índice no final do livro remete para áreas específicas de necessidades especiais ou de crises inesperadas.

Muitos leitores perceberam que, fazendo uma oração antes de iniciar a leitura, conseguem abrir o livro exatamente na página que contém a mensagem aplicável às suas necessidades do momento.

CITAÇÕES DA BÍBLIA

Os versículos bíblicos — palavras diretas de Deus — foram selecionados de modo a corresponder às mensagens de nosso Senhor em Deus Está Contigo.

MINHA PRECE POR TI

+

O Senhor Jesus Cristo fale incessantemente ao teu coração através de Suas palavras neste livro.

O Senhor Jesus Cristo te abençoe generosamente e te atraia cada dia para mais perto d'Ele.

John A. Woolley.

Eu sou a esperança de todos os recantos da terra. Muito poucos, porém, são os que realmente sabem disso no íntimo do seu coração. Em Mim realizam-se os complexos desejos e as potencialidades da natureza humana.

Tu sabes que todas as qualidades que vês em Mim estão à tua disposição. Estás aborrecido, Meu filho, por não usá--las com frequência? Sim, o defeito do mundo está nisto — os homens não se apropriam daquilo que está à disposição deles, em Mim.

Antepõe-Me a ti, sempre, como tua única verdadeira esperança. Segura a Minha mão com firmeza... Anuncia--Me como esperança da humanidade para os que te são próximos... Aumentando a consciência do progresso que fazes Comigo, intensificas também a convicção que transmites ao dizer aos outros tudo o que posso ser para eles!

Eu sei que teu coração abriga o anseio de Me conhecer mais perfeitamente. Eu respeito esse anseio, e é por isso que tens a certeza da Minha paciência em todas as tuas deficiências. Evidentemente, é a Minha graça que te ajuda a manter esse anseio — e a te tornares um Comigo, cada vez mais.

Eu não rejeitarei aquele que vem a mim.
(João 6,37)

Muito antes de se manifestar na terra, o Meu amor se expressava na criação. Embora considerada resultado de poder ou de mistério, ela é verdadeiramente consequência do amor... uma criação contínua.

Da tua perspectiva, a existência é desconcertante e quase sempre assustadora, mas deixa-te arrebatar pela emoção ao saberes que, em Sua criação, o Pai... tornou-Se um com ela, entregou-Se a ela. Aquele momento na história em que Me tornei o ponto de encontro do amor divino com as esperanças e medos humanos foi o início da consciência espiritual verdadeira.

Deparar-te-ás com muita escuridão e conhecerás forças empenhadas em impedir tua ascensão ao reino celestial. Qualquer outra forma de ver a Minha criação seria ingênua e parcial. No entanto, deves resolutamente entender o *amor* como a alma da criação... agora, e sempre, no passado e no futuro.

Amor na criação significa que estou sempre perto das inevitáveis angústias dos Meus filhos... ou, evidentemente, das *tuas* angústias.

Quem Me viu, viu o Pai.
(João 14,9)

Meu filho, considera um privilégio meditar todos os dias sobre o Meu sacrifício — feito pelo mundo inteiro.

No Meu amor sofredor sobre a Cruz testemunhas um *processo continuado...* o amor não correspondido que persegue Meus filhos — ansioso pela mais insignificante resposta e profundamente agradecido quando um desses filhos entrega sua vida a Mim.

Na Cruz, vês o Meu coração de amor esmagado, momentaneamente, pela força do mal que assombra este universo. Depois vês novamente a irrupção do *poder* do amor... na vitória do Meu Pai; esse poder, em sua submissão, e em sua paciência, pode mudar permanentemente qualquer situação humana.

Embora tenhas consciência de não merecer esse amor, podes ter certeza de que até a dependência mais simples e imperfeita de Mim *alivia* em alto grau a dor da rejeição.

Aqui, na Cruz, dá-Me o teu coração, mais uma vez, cada dia.

Eu dou a vida pelas Minhas ovelhas.
(João 10,15)

Minha alma se rejubila quando um dos Meus filhos, respondendo a um estímulo do Meu Espírito, pede para viver perto de Mim.

A resposta a esse pedido é automática. Forças que aproximam os nossos espíritos entram em ação, apesar das emoções confusas e das influências contrárias da terra. Logo que esse pedido hesitante é feito, passo a olhar o Meu filho como um ser *aperfeiçoado*.

Tudo passa a ser feito considerando o pedido desse filho. Eu vejo além do progresso intermitente, do cansaço espiritual e das vezes em que esse filho Me desaponta. Não preciso mais do que da resposta inicial e da *constância* desse desejo de estar perto de Mim para que a Minha existência interpenetre sempre mais a tua.

Meu filho, ainda podes reconhecer esse desejo profundo de proximidade Comigo em teu coração... mesmo depois de tantas ocasiões de desânimo em tua caminhada espiritual? Se assim for, que esse anseio te lembre o teu destino: a *perfeição*.

Eu os atraí com laços de bondade, com cordas de amor.

(Oseias 11,4)

Meu filho, o vínculo que nos une é indissolúvel, porque és Meu escolhido...

Estás na companhia do Arquiteto do universo em Sua infinita sabedoria. Minha presença te envolve — assim como a Minha influência, em tuas circunstâncias peculiares. Sem Mim, viverias em meio aos perigos mais ameaçadores.

És precioso para Mim e as tuas necessidades estão no Meu coração, por isso Eu te protejo de tudo o que se contrapõe ao que é melhor para ti, afastando influências nocivas.

Nenhuma combinação de circunstâncias pode Me derrotar; por isso, não tenhas medo das mudanças da terra nem do pior dos atos que o mal pode cometer. Não tenhas medo... pois sempre posso resgatar-te e reconduzir-te ao caminho da Minha vontade. Tudo o que precisas fazer é convencer-te de que o Meu desvelo por ti se estende até a eternidade.

Ninguém pode arrancar Meus filhos da Minha mão.
(João 10,28)

Mesmo aqueles que Me professam carregam seus fardos porque não conseguem acreditar que o Meu perdão é *infinito*; não conseguem acreditar que há uma purgação da culpa profunda gerada por atos renitentes que causaram consequências trágicas para outros; não conseguem acreditar que (mesmo arrependendo-se verdadeiramente desses atos) Minha misericórdia chega até *eles*.

Meu filho, tu sabes que a única exigência do Meu amor e compaixão transbordantes é o teu *arrependimento sincero*... e *sempre* o arrependimento de que o ato condenável podia ter atingido a Mim. O Meu perdão é instantâneo; ficas purificado diante dos Meus olhos, digno da Minha solicitude amorosa. Influências maléficas concomitantes são afastadas.

Meu filho, esse mesmo amor te ajuda agora a perdoar, do fundo do coração, todos os que te ofenderam. Essa é a Minha lei, que deve ser obedecida. Entrega-os todos ao Meu amor.

Eis a razão por que Me entreguei: propiciar a paz do perdão concedido a *todo* pecado... Quero que Meus filhos voltem a Mim com a *dor* da culpa extirpada... mesmo que não se apague totalmente a lembrança do ato cometido.

**Eu sou o Senhor teu Deus... misericordioso,
benevolente e infinitamente paciente.**
(Êxodo 34,6)

É um equívoco imaginar que é sempre fácil conservar a fé em Mim.

A maior das tentações é acreditar que as calamidades e infortúnios da terra indicam um universo sem alma.

Sempre que és levado a concluir, mesmo momentaneamente, que estás sozinho em meio a uma criação materialista, o mal alcançou o que é sempre seu maior objetivo.

A divisão *crucial* neste mundo não é entre felicidade e infelicidade, mas entre uma vida baseada em Mim e vivida Comigo — e uma vida afastada de Mim, levando ao esquecimento.

Quando os acontecimentos parecem apontar para longe de Mim e levar-te à dúvida, esse é o *momento exato* para reunir todas as tuas forças e dizer-Me que, apesar de todos os pesares, Eu estou contigo e jamais posso te faltar.

Não tens condições de conhecer a *força* de uma palavra tão confiante — dirigida a Mim em circunstâncias que te fazem duvidar!

Quem acredita em Mim viverá!
(João 11,25)

Meu filho, Eu habito em ti através do Meu Espírito, por isso sinto intensamente os conflitos e anseios que tanto te afligem. Eu percorri o teu caminho, por isso a Divindade compreende profunda e infinitamente tudo o que suportas na terra.

Por teres respondido ao Meu chamado, mesmo que de modo imperfeito, fiz de ti objeto da *Minha* atenção... Quando te vejo em grande necessidade, Meu amor e compaixão por ti se intensificam ao máximo. Cada sofrimento, cada esforço pode despertar o senso de necessidade de Mim, aprofundar a confiança, ensinar novas verdades.

Vejo a graça excelsa que recebes de participar do sofrimento Comigo. É só por isso que posso aceitar (embora *nunca* indiferente a elas) tuas lutas terrenas.

Reconhece a ação transformadora do amor nas trevas da terra... Vê experiências de escuridão se transformarem, por Minha mão, em experiências (no Meu amor) de segurança e esperança.

Eis que faço novas todas as coisas.
(Apocalipse 21,5)

Meu filho, o tempo que passas na Minha companhia imprime em ti, de forma mais profunda do que a aceitação intelectual, que deves tudo a Mim.

Sim, Eu te trouxe à vida... prevendo isso. Minha mão pousava sobre tua vida muito antes que os teus pensamentos se voltassem a Mim. Deves a Mim a tua própria existência *agora*, num mundo que, sem a Minha vitória, estaria perdido. Na dedicação dos teus entes queridos e na bondade dos teus amigos, reconhece o Meu estímulo e a Minha provisão. Teus olhos Me vejam como a *origem* de tudo aquilo com que tua vida foi abençoada.

O sentimento de gratidão para Comigo simplesmente inexiste na vida de muitos. Tu tens o grande privilégio de estar entre os que podem alegrar o Meu coração reconhecendo tua dívida Comigo.

Jamais conseguirias pagar essa dívida, naturalmente. Tudo o que peço é teu coração agradecido ao teu Salvador e Protetor.

Eu te chamei pelo nome; tu és Meu.
(Isaías 43,1)

Meu filho, começas a Me conhecer realmente quando me *valorizas*... Colocar-me acima de qualquer outra coisa na tua vida é indispensável para o teu crescimento... fazendo-te *vibrar* ao pensar em Mim e desejar uma comunhão cada vez mais íntima Comigo.

Quando chegas ao estado sublime em que Sou tudo em tudo para ti, percebes também que esse fato não tornou *menos* valiosos aqueles que amas na terra... Pelo contrário, Meu lugar de supremacia na tua vida envolve esses outros vínculos e significa que a influência celestial está em teus relacionamentos — tornando-os agradáveis a Mim.

Mesmo em momentos de decepção, mantém a *resolução* firme de que devo ocupar o primeiro lugar. Assim tudo formará uma bela harmonia, pois a vida se desfaz dos seus conflitos e dos seus esforços fúteis. Meu filho, entroniza-Me nesse lugar mais elevado agora e acredita que posso garantir que tudo o que daí emana é absolutamente certo.

Eu vim para que tenham vida, e a tenham em abundância.
(João 10,10)

Muitas vezes a confiança nasce das dificuldades e dos infortúnios; uma confiança que persiste, mesmo quando o Meu modo de proceder não produz os "resultados" esperados, quando esse modo de proceder é difícil de compreender.

Confiança cega, quando não se obtém vantagem evidente, é a *verdadeira* confiança que Eu exijo e que sempre respeito.

Trilha o caminho da confiança em todas as áreas, em todas as situações concebíveis sobre a terra — em cada relacionamento, em cada encontro, em cada problema. Sim, confiança total em Mim — expressa na alegria, na gratidão e na percepção do Meu toque em aparentes coincidências e encontros inesperados...

Meus planos para ti são inequívocos e irão triunfar, pois confias na voz interior que te garante (apesar das circunstâncias observadas) que Eu *não posso* falhar com um filho confiante! Dá-Me, frequentemente, o relance do amor mais confiante.

Na quietude e na confiança está a tua força.
(Isaías 30,15)

Meu filho, deixa-te *envolver* pela Minha paz... não te voltando para ti mesmo, mas para Mim! Consciente e frequentemente, repousa teu espírito nessa paz; ela é verdadeiro refrigério para ti e é tudo o que precisas.

Deseja ardentemente a Minha paz por sua *singularidade*; deves saber que ela neutraliza amarguras há muito arraigadas. A menos que a Minha paz trate as feridas profundas, estarás à mercê de grande parte do passado — com sua dor revivida.

Repele firmemente atitudes que não sejam inspiradas pelo amor, atitudes errôneas que podem destruir temporariamente a Minha paz em ti; repele-as com a Minha força. Não "analises" se tens a Minha paz; apenas *sabe* que ela está aí, enquanto trilhas meu caminho com atenção... e ela passará de ti para os Meus outros filhos.

O Meu nome — o nome JESUS — traz paz. Repete esse nome para Mim — com amor; repete-o para ti — para confortar teu coração, incessantemente.

Não se perturbe nem se intimide o teu coração.
(João 14,27)

O verdadeiro objetivo de Me fazeres companhia é encontrar a realidade das coisas do Espírito. Infelizmente, muitos ainda acreditam que as coisas mundanas têm mais substância do que suas origens espirituais.

Levando-Me para a tua vida, estás reconhecendo a suma importância do invisível. Nenhum encontro ou experiência humana jamais deve ser separado da realidade permanente com a qual está em confronto. A aspereza dos desapontamentos deste mundo desaparece (embora o coração possa se confranger) quando sua impermanência é comparada com a Minha realidade.

A percepção do invisível confere um senso de proporção às experiências que temporariamente exaltam ou esmagam a alma humana. Ver o Meu reino como a *realidade* dessa existência, e todas as outras manifestações como transitórias, dá muita coragem e força nas situações difíceis. Os fenômenos efêmeros da vida são *transformados* pela realidade por trás deles. Descobre nas experiências do mundo uma vantagem *espiritual*... guardada com segurança para ti no reino do Meu amor.

O Meu reino não é deste mundo.

(João 18,36)

Meu filho, a sensação de isolamento que sentes ao tentar percorrer o Meu caminho é um estágio que considero necessário para ti. És tentado a pensar que estás abandonando muita coisa... a pensar, inclusive, que estiveste equivocado quanto às recompensas da vida espiritual.

Tens a Minha promessa de que esse estágio em que te sentes isolado, talvez prostrado, é muito positivo para o teu crescimento. Descobrirás que nada (inócuo em si mesmo) que parecia interpor-se entre nós, e a que renunciaste, jamais será motivo de arrependimento. O que Eu te dou é de valor infinitamente maior do que os bens terrenos.

No que o mundo vê como isolamento, encontras companhia no nível mais profundo, uma sensação de ser elevado através de áreas de dificuldade não identificadas. Quando sentes a tentação de desanimar, afirma com todo vigor que Eu pertenço a ti... consciente de que és atendido da forma mais plena possível.

Eu mesmo irei e te darei descanso.
(Êxodo 33,14)

Recorre a Mim sempre que te vires diante de uma situação dolorosa ou angustiante — *em primeiro lugar* para que possas aprender a lição que tenho para ti através dela; *em segundo* para que Eu possa romper o padrão dos acontecimentos antes que se torne insuportável para ti.

Tu sabes que estou acima das coisas que podem ameaçar-te ou tornar-te ansioso; elas permanecem — com a Minha permissão — pelo tempo que for necessário para aprimorar os Meus planos para ti — e para outros. Para os Meus amados, ajusto toda provação ao Meu padrão e a um bom propósito; elas não são realmente provações se as *compartilho* e em seguida as *conquisto* contigo. Tenho *usado* as experiências da vida para ensinar-te, para santificar-te e para proporcionar-te vitórias.

Ninguém tem mais consciência do sofrimento da vida do que aqueles que procuram o Meu caminho; todavia, a Minha paz e alegria encontram-se nesse caminho... e na Minha presença, o presente inestimável que está acima de qualquer coisa. Orando incessantemente, poderás cada vez mais simplesmente *observar* as respostas a essas orações chegando.

No mundo tereis tribulações e tristezas...
mas alegrai-vos... Eu venci o mundo.
(João 16,33)

Os que não se deram conta do que Eu posso ser para eles podem subtrair sutilmente Minha *supremacia*; entre esses estão alguns que dizem levar o Meu nome neste mundo.

Meu filho, a tua confiança em Mim ficará estremecida quando Eu sou, para ti, algo *menos* do que...

a fonte de todo amor...

a fonte de todas as coisas criadas...

a fonte de todo poder — interpretado para as necessidades deste mundo.

Colocar a tua vida em Minhas mãos é receber todos os recursos de Deus; recursos *concentrados* em Mim mesmo na terra... para que Meus filhos sejam atraídos a Mim como a expressão mais plena do amor do Pai.

Que o teu espírito se exalte gloriosamente inúmeras vezes todos os dias pela compreensão da Minha *responsabilidade* onipotente e infinita por ti.

Eu e o Pai somos Um.
(João 10,30)

A quase instintiva invocação do Meu Nome nos momentos tenebrosos e incertos da vida...

o grito de uma criança por Aquele que pode aproximar-se;

o grito de uma criança quando a razão para de funcionar, quando tudo é ameaçador, quando a ajuda humana inexiste, quando a confiança se perdeu.

A invocação do Meu Nome põe frente à tua situação o único fator vital. Podes invocar o Meu nome quando te sentes desamparado... mas também na alegria e na gratidão. Gratidão por seres acompanhado no processo de superação desses estados de abandono e impotência.

A invocação do Meu Nome repele as forças do mal, imediatamente... derrotando-as em seus objetivos em favor da tua vida.

Meu filho, o sussurro do Meu Nome... Ao despertar... Ao te entregares ao sono... E frequentemente ao longo do dia!

Quando passares pela água, estarei contigo.
(Isaías 43,2)

Ocasiões surgirão em que não conseguirás ver o caminho que tens pela frente. Talvez fiques tomado de pânico, querendo evitar o que pode ser um passo fatal. Lembra que nem sempre precisas ver a estrada à frente. No momento, é suficiente ver *a Mim*.

Conhecerás o momento mais oportuno para tomar uma decisão e Eu estarei contigo para ajudar-te a tomá-la. Até então convence-te de que simplesmente ficar perto de Mim é garantia de que segues na direção correta, a despeito dos questionamentos e das dúvidas que tumultuam tua mente.

Quando não consegues ver claramente o próximo passo... é então que se oferece um bom motivo para que Eu contenha essa sensação. A ocasião se torna um momento de confiança... confiança, muitas vezes, de que Eu simplesmente *farei* com que Meu desejo por ti se realize! Não sintas a tremenda responsabilidade de escolher o teu caminho quando isso não é necessário no momento. Apenas recolhe-te em Mim e sabe que logo verás claramente... Até então, estás *exatamente* onde Eu quero que estejas.

O vosso Pai sabe do que tendes necessidade.

(Mateus 6,8)

Meu filho, uma mudança radical ocorre em tua vida quando te concentras, claramente, num só objetivo principal... examinar todas as tuas aspirações pessoais, todos os teus relacionamentos. O objetivo que integra a tua personalidade é muito simples: de algum modo, expandir o Meu Reino de amor, mesmo em situações que parecem oferecer barreiras intransponíveis para que isso aconteça.

Começa trazendo voluntariamente esse objetivo a Mim, para que eu o abençoe — mesmo que tenhas feito promessas desse tipo anteriormente. Terei sempre o teu objetivo diante de Mim! Eu respeitarei esse objetivo — não só nas ocasiões em que te lembras dele, mas também quando te distrais por um momento e o esqueces.

Cada encontro com outra pessoa está sob a influência do Meu Reino — repelindo, sempre um pouco mais, as forças que obscurecem este mundo. Agradece-Me todos os dias por seres usado para estabelecer a Minha lei de amor.

**Buscai acima de tudo o
Reino de Deus e a sua justiça.**
(Mateus 6,33)

J amais admitas que um aspecto em particular da tua vida está "derrotado".

Teres malogrado numa certa situação, e até muitas vezes, talvez, não significa que deves resignar-te com a derrota. Não significa que a vitória não estava bem perto.

Meu filho, sentirás a alegria de decididamente te unires a Mim e de te deparares com a vitória em situações difíceis. Nenhuma situação, nenhum conjunto de circunstâncias, precisa ser impossível para ti se acreditas que a Minha vitória contigo se estende a *todos* os aspectos. Eu espero essa disposição (de confiança total em Mim) para entrar, uma vez mais, nesses cenários de derrota esmagadora, e *dessa* vez provar que em todas as ocasiões anteriores poderias ter sido vitorioso!

Qualquer transigência ou resignação com a derrota enfraquece o todo. Observa como muitos aspectos da tua vida já se tornaram o cenário de novas reações, de novos ganhos... Que isso te estimule com relação à vitória que podes alcançar em cada área problemática ainda persistente.

Para Deus tudo é possível.

(Marcos 10,27)

Considera a comunhão Comigo como a tua *atividade suprema*... não existe lugar na terra em que essa atividade seja impossível.

Não é mero escapismo, fuga da realidade, dar tempo à interação de nossos espíritos; ela dá ao Meu coração a alegria que compensa um mundo que segue tantas ilusões. O teu tempo Comigo é um tempo de confiança... confiança na Minha resposta às tuas preces; em dar-Me espaço onde trabalhar; em deixar-Me ajudar-te a tirar proveito das lições das circunstâncias presentes.

Tentações para restringir a atividade de comunhão Comigo muitas vezes se disfarçam como "dever premente", e quase sempre envolvem mau uso do tempo que não contribui em nada para o teu progresso.

Meu filho, *valoriza* o tempo que passas, conscientemente, Comigo, pois eu crio a necessidade das horas futuras. Essa comunhão, longe de ser mero escapismo, é *dinâmica* em sua essência... e é indispensável para ti. Não foste criado para viver sem Meus recursos!

Uma só coisa é realmente necessária.
(Lucas 10,42)

Como prática sumamente necessária, entrega a Mim todas as circunstâncias com as quais te sentes incapaz de lidar. A pressão para "responder" a essas circunstâncias pode ser grande, mas deves achar algum tempo (mesmo que apenas alguns instantes) durante o qual entregar a situação a Mim, com sua incerteza, sua complexidade e sua capacidade de atemorizar.

A entrega a Mim simples, quase mecânica, assegura a atividade divina; os momentos mais fugazes que passas entregando-Me uma situação são retribuídos multiplicadamente com a adaptação dos acontecimentos ao Meu poder e sabedoria.

Reage sempre, *primeiro*, entregando-Me todas as circunstâncias difíceis ou penosas; depois, observando pacientemente o Meu controle e a Minha intervenção no desenvolvimento delas. Eu sempre te mostrarei o que for urgente e necessário, e requerendo ações de tua parte. Mas a tua caminhada Comigo deve ser sempre de calma e paciência, baseada na Minha *suficiência*.

Eu estou contigo para te libertar.

(Jeremias 1,19)

Meu filho, deixa-Me cortar as amarras que te prendem a coisas terrenas que não têm serventia para os Meus propósitos para ti, dando assim a ti condições de te "perderes" na luz da Minha presença; dando a Mim condições de tornar-Me tudo para ti.

Podes viver no céu Comigo *agora*, aproveitando os recursos que ele te põe à disposição para transcender as limitações da terra e as estratégias do mal. Conserva-te nessa esfera celestial em meio aos detalhes da vida.

Seja a tua vida uma vida em que só tenhas consciência do amor e da confiança em Mim, em que haja uma continuidade de oração e piedade (em que sempre recebo de ti, e tu de Mim), até o dia em que Eu te levar à plenitude da alegria em Minha presença. Afasta-te de todos os conflitos temporários e sente a paz que o dia da tua realização final te dá *agora*.

O que se gloriar, glorie-se em Me conhecer.
(Jeremias 9,24)

Ficas te perguntando por que, depois de esforços intensos, não tens aquela sensação segura e tranquilizadora da Minha presença... Infelizmente, em muitos dos que Me seguem, atitudes que Me são inconvenientes se tornaram habituais... sua constância parecendo quase um *direito*.

Cada pensamento sombrio, cada palavra injuriosa ou ação danosa devem levar-te *imediatamente* a lamentá-los. Tudo o que se interpõe entre nós mostra-se mais claramente em contraste com a expressão do Meu amor. Se o Meu amor ocupa o teu pensamento, a feiura do que pode às vezes estar em ti aparece claramente.

Se não consegues enfrentar as investidas das trevas e procuras perdão e purgação imediatamente, dois são os resultados: primeiro, uma inquietude desgastante e destrutiva que se instala no íntimo do teu ser e que nenhuma "justificativa" consegue remover; segundo, o encobrimento da Minha presença, fazendo com que a caminhada Comigo, que tanto desejavas, não tenha substância real. Não permitas, conscientemente, nada que possa prejudicar Meus propósitos para ti.

**Bem-aventurados os puros de coração,
porque verão a Deus.**
(Mateus 5,8)

Embora o caminho seja estreito, ele oferece inúmeras vias de liberdade. Uma vez que a Minha vontade seja aceita e posta diante de ti como objetivo de vida, descobres que Meu caminho *não* tem restrições.

Quando as tuas escolhas se harmonizam com os Meus desejos para ti, sentes uma liberdade verdadeira. *Muita coisa* é tua. Quando excluis os caminhos tortuosos e percorres o caminho estreito na Minha luz, descobres vias secundárias jamais sonhadas. Ao longo dessas vias secundárias ocorre uma experiência elevada do que, sem Mim, é embaçado ou causa de conflito.

Muitos deixam de ver que a estrada estreita para o Meu reino é uma estrada libertadora... na qual usufruis um amplo espectro de bênçãos, das quais podes aproximar-te e delas apropriar-te.

Meu filho, talvez sintas que não estás levando tudo diante de ti! No sentido mundano, isso pode ser verdade, mas depois de procurar-Me, podes ter certeza de que o Meu Espírito está te levando à frente — e é sempre o *melhor* caminho à frente.

Se o Filho vos libertar, sereis realmente livres.
(João 8,36)

Meu filho, em meio às provações da vida, procura ver não só as águas mais calmas que intuis estarem além dessas provações... procura também perceber como elas realçam *ainda mais* o período de placidez e de gratidão a Mim que se segue a elas.

Os períodos angustiantes da vida, que quase te levam a te afastares de Mim, podem ter um objetivo muito importante para ti... do contrário, Eu não os permitiria. O sofrimento é a matéria-prima com a qual se forja uma alma cada vez mais sensível à existência do Meu amor.

A dor e as aflições da vida, permitidas segundo Meus propósitos de amor, são constantemente usadas para criar o que é essencialmente nobre, forte e de caráter celestial; assim elas dão um sentido mais profundo ao grande milagre da existência... o milagre que *Eu sou* e de que este é um universo em que o Meu amor triunfará.

A vossa tristeza se transformará em alegria.
(João 16,20)

Meu filho, todas as noites, conscientemente, entrega *tudo* ao Meu controle. Deixa que Eu guarde essas regiões profundas em ti; permite que a Minha boa influência opere.

Eu protejo o teu ser mais íntimo. Repousa, como uma criança, no Meu amor e no Meu poder. Agradece-Me o fato de que, enquanto repousas em Mim, eu tomo conta de tudo o que pode perturbar a tua paz... lembranças perniciosas, sentimentos tormentosos.

Não te debatas. Não te observes com olhos ansiosos... apenas mantém a atenção no teu Amigo! Preocupa-te com as necessidades dos outros e confia que Eu, naturalmente, preocupo-Me com as tuas.

Convicto do Meu amor, conserva, nesta e em todas as noites, os teus pensamentos sempre voltados para o Meu poder onipotente. Sabes o quanto é preciosa a tua certeza do Meu amor por ti... repousa nessa certeza.

Eu darei descanso para vossas almas.
(Mateus 11,28)

Meu filho, promete-Me que jamais Me abandonarás como tua esperança suprema. Lembra-te dessa promessa frequentemente, como um marco inamovível em tua vida. Eu terei a tua promessa sempre presente, revelando-te o que a vida pode significar sob Meus cuidados. Estarei consciente da tua promessa mesmo nos momentos em que falhares Comigo.

Nas quedas, lembra-te de que Meu coração preserva uma confiança permanente em ti de que prosseguirás em direção às Minhas bênçãos. Sim, eu posso ver em *ti* um reflexo da Minha própria fidelidade — mesmo quando falhas Comigo! Terás sempre consciência de promessas quebradas. Embora aborrecido com essas coisas, providenciei para que te reergas e recuperes nessas ocasiões de queda.

Tudo o que fizeres esteja naturalmente imbuído da convicção da *Minha* ação simultânea em teu favor. Por Eu estar presente amando-te e usando-te, que a paz e a esperança *sempre* triunfem sobre ansiedades ou temores inúteis. Depois da queda, levanta-te para novos e deslumbrantes horizontes, e usufrui da sensação abençoada da Minha *companhia* na tua caminhada.

Eu sou o Senhor teu Deus... o teu Salvador.

(Isaías 43,3)

Só podes sentir o meu amor profundamente se Eu *participo* da tua experiência de fracasso, da tua percepção do vazio e das decepções do mundo.

Meu filho, quando encontramos, juntos, a escuridão que tão frequentemente se abate sobre a alma humana, a Minha resposta à oportunidade de participação que Me deste é a de impregnar-te com uma sensação do Meu amor; comparativamente, as coisas terrenas (até aí tão "certas", tão indeléveis) se dissipam.

Excluir-Me das inúmeras circunstâncias — seja por obstinação, seja por duvidares momentaneamente da Minha *relevância* para essas circunstâncias — priva-te do poder revigorante do Meu amor. A certeza inabalável do Meu amor não é alcançada nos fenômenos da vida, mas em situações em que, no começo, o Meu amor parece não fazer sentido. A participação aprofunda a *convicção*... do amor que sempre se encontra em Mim.

O sol da justiça nascerá para vós,
trazendo a cura em suas asas.
(Malaquias 4,2)

Meu filho, terás muitas decepções na vida.

Depois de uma decepção, o primeiro pensamento que deves ter é que ela ocorreu porque Eu permiti. Depois, deves compreender que Eu a permiti *sabendo o que o futuro te reserva*. Entrega a Mim toda aflição, a sensação de estar à mercê do destino. Entrega também o medo de como irás viver com a decepção. Eu resolverei a situação para ti. Vê os reveses da vida como obstáculos postos no teu caminho pelo mal, para desviar-te do Meu caminho. Reage mostrando a tua confiança na Minha vitória, permanecendo calmo e confiante no Meu amor.

Em vez de te deixares abater pelas decepções, lembra-te das situações de que frequentemente te salvei. Não se trata de mero consolo falso, mas de Eu permitir somente o que vejo ser melhor para ti. Por isso, aceita as circunstâncias presentes como a resposta às tuas orações de entregar-te à Minha vontade, e agradece-Me por elas. Repele *todo* sentimento de aflição quando as decepções ocorrem e os desejos não são satisfeitos. Em vez de aborrecer-te, usa-as para conquistar, Comigo, uma gloriosa vitória.

Onde está o teu tesouro, aí estará também teu coração.

(Mateus 6,21)

Não sabes por que foste escolhido, por que foste levado a conhecer-Me... sabes que a tua escolha não se deve a nenhum mérito teu... como sabem todos os Meus servidores. Apenas *aceita* a escolha que fiz de ti e sê humilde por Eu ter visto em ti alguém que posso levar à vida eterna.

Quando as nuvens da vida ameaçam, como seguidamente fazem por vontade Minha, vê-as como *parte* daquela atração a Mim que agora aceitaste como teu destino.

Meu filho, agradece-Me todos os dias por escolher-te. Observa o que isso significou até agora no aprofundamento da fé, no conhecimento da Minha vontade e num senso de propósito. Entende que o processo de atração a Mim *deve* continuar... porque é um processo estabelecido por escolha Minha muito antes que te desses conta dele! Minhas promessas são para ti; reivindica-as.

Porque Eu te escolhi, farei de ti como um sinete.

(Ageu 2,23)

Eu Me revelei de muitas maneiras.

Por necessidade deste mundo, seu Criador precisava manifestar-se de algum modo *especial*... uma revelação limitada no tempo, mas ilimitada em seu efeito e em seu poder de atração.

Não podes conhecer a natureza da Minha revelação *além* da tua esfera... na Minha criação como um todo. Apenas convence-te de que, no teu mundo, a *verdade* foi revelada... tanto a respeito do poder como do amor que está em Mim... essa manifestação transcende toda busca humana da verdade e toda suposta "intuição".

Não aceites a Minha revelação de Deus como parcial, condicionada pelas limitações humanas ao recebê-la. O que se viu em Mim foi a verdadeira natureza da força motriz na criação — com a verdade sumamente importante de que tudo é *inspirado pelo amor*. Meu filho, não recorras ao mundo fora da Minha Revelação... ela é tudo o que precisas para conhecer esta vida presente; nenhuma conjetura, nenhuma reflexão pode ser acrescentada a isso.

Tudo Me é entregue por meu Pai.
(Mateus 11,27)

Não é simples acaso que a sensação do Meu amor parece intensificar-se quando um filho Meu recorre a Mim clamando de um ambiente onde não existe amor... Eu aproveito essa oportunidade para entregar o presente inestimável... um senso de amor que transmite paz, que vivifica.

Mesmo quem Me segue é tentado a pensar que um senso do Meu amor e companheirismo deve ser um "acréscimo" ao amor e segurança terrenos. Muitos duvidam de que viver o Meu amor seja suficiente, por si só, na falta de outros amores.

Através dos tempos, o anseio de amor de muitos corações foi sobejamente satisfeito por Mim. Se a vida te deixar sem nenhum amor ou compreensão humanos, alegra-te na consciência totalmente *suficiente* do Meu amor... atendendo a qualquer necessidade *verdadeira*. Meu filho, quero que sejas realmente feliz em Meu amor, e quero que muitos encontrem esse amor através de ti... Eu sei que, desse modo, *tu* não Me faltarás.

Eu sou a tua parte e a tua herança.
(Números 18,20)

A esperança posta em outras coisas que não em Mim — e existem muitos acenos falsos na terra — sempre se mostrará fútil.

Às vezes poderás deparar-te com um conflito insuportável. Verás o mundo como um lugar estranho... inclusive, às vezes, com insinuações de deixá-lo. Nesses períodos negros, permite que a esperança que paira sobre o teu futuro *se projete* no teu presente. Habitua-te a ver a vida sobre o pano de fundo da Minha eternidade, o que te dá condições de suportar (alegremente) as intromissões inevitáveis das trevas.

Meu filho, a vida pode ser gradativamente mais difícil, especialmente para aqueles que não Me conhecem. O *teu* privilégio é saber que, Comigo, esse padrão se inverte. Eu guardo o vinho bom para mais tarde!

Comigo — e *somente* Comigo — o melhor ainda está por vir.

Quem tem o Filho tem vida.
(João 5,21)

Estar unido a Mim implica participar, até certo ponto, do Meu sofrimento... da solidão, da dor, da hostilidade e da indiferença de outros, mas também significa ser *totalmente vitorioso* sobre todo mal.

significa refletir-Me...

significa que Eu toco aqueles com quem estás em contato...

significa serenidade verdadeira...

significa esperança jubilosa.

A nossa intimidade significa que é a Mim que pessoas necessitadas acorrem; é contra Mim que o mal tenta em vão. Podes agora expor uma força nunca antes exibida, pois tu nos *vês* unidos e deixas Meu amor dar-te uma existência vitoriosa.

Medita frequentemente sobre a verdade de que estás unido — permanentemente — com Aquele que te criou! Que essa unidade faça toda a diferença para a tua vida.

Sem Mim, nada podeis fazer.
(João 15,5)

Meu filho, procura recuperar cada dia a *magia* do Meu amor por ti... um amor que não pode ser mais forte. Apenas admitir Meu amor, sem ter tua vida *sacudida* por ele, é uma paródia do que um filho Meu deve ser.

Confiar-te ao Meu amor não é autoindulgência indolente, conforto egocêntrico; é uma atitude que ocupa o centro mesmo da tua nova vida Comigo... tudo irradiando-se desse centro para fora.

A magia do Meu amor por ti — exatamente como és — e a tua consciência do quanto Eu precisei perdoar... Essa é a força propulsora do teu progresso espiritual e da tua dedicação ao próximo.

Descobriste que não há amor que se compare ao Meu... um amor que pode, às vezes, ser sentido *ainda mais intensamente* quando sabes que o amor foi ofendido. Que o Meu amor nunca deixe de te surpreender... e te deixe preparado para o encontro com tudo o que a vida pode apresentar.

Até mesmo os cabelos da vossa cabeça estão todos contados.

(Lucas 12,7)

Para trilhar os Meus caminhos precisas começar com o *desejo* ardente de Me agradar; acende esse desejo, vê como ele é fundamental e mobiliza as tuas forças para assegurar que a Minha vontade seja feita na tua vida.

Tu sabes que a rendição efetiva à Minha vontade, a aquiescência a ela em qualquer situação, libera *automaticamente* a energia necessária para realizá-la. Eu posso mudar para ti condutas que fazem parte da tua vida.

Dirige-te cada dia a Mim dizendo amavelmente "Faça-se a tua vontade, Senhor". Desenvolvendo essa atitude de submissão prazerosa, ver-te-ás, muito naturalmente, rejeitando tudo o que se opõe aos Meus propósitos para ti. A *aplicação* da Minha palavra sempre apressará o aprimoramento dos Meus planos para ti.

O desejo de agradar-Me, associado à confiança, significará uma caminhada nova e vitoriosa. Meus mandamentos não são um ideal impossível, mas preceitos que podemos cumprir juntos. Confia na Minha palavra de amor!

Tomai sobre vós o Meu jugo.
(Mateus 11,29)

Enquanto Me esperas, fica imaginando que *estou chegando*: essa é a forma verdadeira de ver a nossa relação.

Chegando a ti para te trazer sempre mais a Mim, para que te instales mais firmemente no Meu amor.

Chegando a ti para desviar-te do perigo; chegando a ti para acolher-te novamente depois de falhares Comigo.

Chegando a ti para incentivar-te a abandonar o passado (mesmo o passado imediato); chegando a ti para estimular-te a te nutrires do pensamento em Mim; chegando a ti para prover-te... sabendo que nada que é para o teu bem maior te é recusado.

Chegando a ti para dividir contigo os atributos que são Meus... conferindo-te uma visão da verdade que é Minha, dando-te coragem, paz e um coração que pode realmente amar.

Essa Minha chegada é de apoio *agora*, para que possas viver de um modo totalmente novo e deixar para trás, definitivamente, tudo o que vem obscurecendo a visão de Mim.

A água que lhe dou torna-se naquele que a beber
uma fonte de água, jorrando para a vida eterna.
(João 4,13)

Meu filho, aprende a *aceitar*.

Decepcionar-te-ás muitas vezes ao conhecer a pessoa aparentemente errada, e não aquela que esperavas encontrar. Deves entender que a pessoa que encontraste era a pessoa certa *para aquele momento*. Quando as coisas planejadas parecem não se realizar, ou se realizam de um modo que parece inadequado, entende, mais uma vez, que se trata do Meu controle.

Confiando totalmente em Mim, podes esperar uma atenção perfeita ao detalhe com relação ao espaço e ao tempo. Demora e incerteza ocorrem por determinação Minha... para desenvolver a confiança em Minha sabedoria. Agradece-Me por esses encontros "inconvenientes" ou aparentemente improdutivos; agradece-Me pelos atrasos, depois de te entregares a Mim. Observa como as coisas que tu e Eu queremos acontecem nos momentos mais apropriados da tua existência.

A aceitação e a gratidão tornarão a Minha atividade muito clara para ti. O que te acontece enquanto vives orientado pela quietude e pela obediência está correto e é abençoado por Mim.

Jamais te abandonarei, nem te desampararei.
(Josué 1,5)

Há muitas, muitas alegrias na Minha mão, transcendendo infinitamente as alegrias da terra... alegrias vividas no âmbito deste mundo, mas tendo origem em Mim.

Vontade de percorrer o Meu caminho significa alegria presente para ser vivida... envolvida pela paz que se instala no coração obediente. Meu filho, ordeno que te enchas de alegria! Eleva-te acima das coisas terrenas e conhece o prazer de ficar oculto em Mim, imune às aflições e agressões do ambiente ao redor.

Não te agarres aos prazeres do mundo para satisfazer o desejo humano natural de felicidade... tua alegria básica está na Minha companhia, na Minha fidelidade. Deixa a alegria tomar conta de ti — repelindo toda culpa e medo! No fundo do teu coração, *sabes* que tudo está bem — que cada aspecto da tua vida agora expresse isso.

Ninguém vos tirará a vossa alegria.

(João 16,22)

Lembra-te sempre do fator *vitória* que permeia o meu plano para a humanidade...

O Meu poder manifestou-se inicialmente ao ordenar o caos e em seguida ao levar o homem ao lugar onde ele pudesse ver e conhecer o divino. A minha própria aparição na terra foi uma vitória — uma vitória de amor — amor desejando o esvaziamento do ego, para caminhar com Meus filhos. As forças das trevas se defrontaram com essa vitória durante a Minha vida terrena e foram dispersadas; elas apostaram tudo no clímax da Cruz e foram, mais uma vez, derrotadas.

E agora, Meu filho, a Minha vitória se perpetua na tua vida. Mesmo o menor dos ganhos é uma extensão da Minha vitória — que está sempre à disposição para ser usada. No Meu Reino de luz está a verdade, a paz, a afeição, a generosidade, a sabedoria; no reino oposto está o medo, o erro, os impulsos da agressão, todas as sementes da infelicidade humana.

Na batalha espiritual tens o privilégio de ser Meu servidor, equipado com as Minhas armas!

... até serdes revestidos da força do Alto...
(Lucas 24,49)

A vitória que conquistei para ti dá o que a raça humana, por natureza, não tem... o *poder de escolher*. Essa liberdade usada sempre significa vitória. Tu completas a Minha vitória no mundo.

Se queres realmente abandonar os maus hábitos, Eu te conduzo além deles! Toma e segura a Minha mão e entra no reino de liberdade... onde estou totalmente no controle e onde a graça para ti é abundante.

O simples fato de recorreres a Mim assenta essa liberdade, que é mais bem exercida no contexto da obediência inabalável aos Meus desejos... não obediência parcial. A liberdade que Eu dou implica uma caminhada ousada, absolutamente confiante... uma caminhada que acompanha a Minha passada. Que o Meu nome seja glorificado pelo que és. Meu filho, deixa que Eu te introduza, *agora*, nesse reino de liberdade.

Eu sou o caminho.
(João 14,6)

Meu filho, não consegues imaginar a influência que emana de uma única alma intimamente unida a Mim! Muita coisa flui dessa relação. Meu espírito opera em cada contato — e mantém-se ativo através de um campo além cada vez maior.

O Espírito é contagiante; não conseguindo conter-se, ele se lança ao coração de outro desde um filho Meu comprometido. O amor quebra todas as barreiras, e porque o Espírito é simplesmente amor em ação, uma influência positiva emana de quem confia em Mim.

Ao agradecer-Me por um encontro proveitoso, por breve que tenha sido, agradece-Me também pela *ação persistente* do Meu espírito, através e além da outra pessoa... uma atividade ininterrupta. Meu Espírito alcança o que meras palavras não conseguem alcançar... procedendo de ti para acender uma nova esperança e uma nova decisão numa pessoa desesperada. Por mais modesta que consideres a nossa relação, Meu Espírito em ti assegura que uma relação hesitante e confiante Comigo se torne notavelmente aperfeiçoada.

Meu Pai é glorificado quando produzis muito fruto.
(João 15,8)

Meu filho, deves ter experimentado a sensação de alegria e alívio produzida pela reconciliação — por experiência própria ou de outra pessoa... Por algum tempo caminhaste nas nuvens, não só porque a barreira no nível humano tinha sido removida, mas também porque essa remoção elevou-te ao reino do amor, que Eu controlo.

Quando sentes a alegria da reconciliação, quando o amor e o afeto podem fluir novamente, estás muito próximo do mistério do Meu amor, que é sua essência. Ofensas a Mim, ou defeitos morais, não conseguem afetar o desejo ardente de uma efusão e de uma recepção desse amor.

A verdadeira reconciliação é uma das experiências mais sublimes da vida... uma experiência em que te aproximas do âmago do amor que muitos ainda não conseguem perceber ou compreender. Procura sempre a reconciliação; Meu estímulo também significa Minha força!

Vivei em paz uns com os outros.
(Marcos 9,50)

Deve haver uma etapa em teu desenvolvimento em que renuncias ao mundo para *amar* o mundo!... Somente quando vês tudo no nível humano — por mais valioso e vantajoso que seja — como subordinado a Mim é que podes aceitar o mundo em todos os seus aspectos.

O ego pode intrometer-se em qualquer papel que adotes no mundo. A menos que Eu influencie as tuas afeições e o teu discernimento... não amas os outros de modo a refletir o amor divino sem que antes te "distancies" do mundo para te unires a Mim. Se o Meu amor por ti está sempre em primeiro lugar, o mundo pode ser *recebido*, pode receber uma resposta. Lembra que o amor não é apenas uma emoção confortadora e que pode ser custoso. Quando ages com amor, contra a "inclinação", estás realmente fazendo a Minha vontade.

Eu sempre uso a tua proximidade Comigo... expandindo a Minha ação de muitas formas diferentes... Tua proximidade *é* serviço para Mim, simplesmente porque a Minha influência se irradia de ti!

Devo ser o primeiro e único em teus afetos.
(Êxodo 20,3)

Jamais subestimes a *força* contida na influência do Meu amor...

Se te orientas para o Meu amor, permitindo-te receber, essa influência produz mudanças. Quando procuras o Meu amor, depois da queda, sua influência gera paz e esperança; obtém a vitória sobre influências contrárias e dissipa todo tédio do espírito.

Meu filho, observa não só a Minha "atitude" amorosa para contigo; percebe também a *influência* conquistadora do Meu amor, também direcionada para ti! As forças do mal são dispersadas, sob *qualquer* circunstância, por tua abertura a essa influência. No Meu amor está a cura do espírito que nenhum outro agente pode realizar.

Quando as circunstâncias ameaçam, deixa que o amor divino exerça sua influência... impedindo mais danos. Mantém-te sob a luz desse amor enquanto fatores prejudiciais são sistematicamente despojados de sua força para afetar o estágio atual da tua vida.

Permanecei em Meu amor.
(João 15,9)

Há sempre um momento crucial na construção de um relacionamento Comigo. Forças contrárias a Mim farão tudo o que puderem para instilar a sugestão de que a confiança em Mim é inconsistente e que não precisas dela. Muitos abandonaram uma vida Comigo nesse momento ou perderam muitos anos seguintes antes que Eu pudesse convencê-los a voltar para Mim.

Os primeiros estágios de confiança em Mim precisam ser *construídos*, levando à Minha dádiva da espécie de confiança que é inabalável.

Pelo que és e pelo que dizes a Meu respeito, muitos perseveram na única confiança que se revela a resposta para a vida.

Quem mantém a confiança em Mim tem *vida*. Somente quando a sensação de intimidade se perde, por um momento, é que ocorre a percepção de como essa posse é miraculosa.

Não quereis também vós partir?

(João 6,67)

Meu filho, jamais serei dissuadido dos Meus propósitos pelas vicissitudes da vida. Transformas a tua vida mantendo os olhos fixos em Mim e confiando na Minha fidelidade.

O terreno sobre o qual andas Comigo nem sempre é fácil, mas é um terreno *seguro*... é o caminho à frente, planejado por Mim, segundo as tuas necessidades pessoais. A minha intervenção e provisão para ti baseiam-se no conhecimento do padrão da tua vida que é somente Meu.

Nos momentos de desalento Meus filhos sempre voltam para Mim — mostrando sua profunda compreensão de que não há outro lugar para onde ir senão a Mim!

As tuas orações — oferecidas, tantas vezes, quando te sentes profundamente prostrado, mas feitas *com confiança* — estão sendo muito bem atendidas!

Lembrar-Me-ei das Minhas promessas.
(Gênesis 9,16)

Meu filho, ao contemplar a Minha face, faze-te a pergunta eterna — "Posso entrar?"

Da minha parte, há um desejo inabalável de preencher-te, cada vez mais, com a Minha presença. Meu desejo de preencher-te não cessou quando Me convidaste pela primeira vez para entrar na tua vida. Contemplando o Meu amor, verás sempre um anseio para que nos identifiquemos cada vez mais.

O aumento da Minha influência na tua vida — repelindo atitudes do ego — deve ser sempre o teu desejo. O próprio olhar de entrega a Mim, com o desejo de te submeteres ao Meu amor, é como abrir a porta... levando a uma vida humana que resplandece com a vida divina.

Responde cada dia com um "sim" sempre mais sonoro à entrada de Deus em cada aspecto do teu modo de viver.

Se alguém abrir a porta, entrarei em sua casa.
(Apocalipse 3,20)

Há um grande perigo em pensar que podes aceitar ou rejeitar coisas erradas indefinidamente — à vontade. Aos poucos as tuas defesas enfraquecem, ao tolerar o que é errado, achando que é só por essa vez... No fim, chegas a situações que não consegues mais resolver. Presta muita atenção a essa Minha grave advertência.

O progresso se torna imensamente lento quando aceitas exceções; ganhos preciosos obtidos Comigo perdem-se desnecessariamente, tua nova situação enfraquece, abrem-se oportunidades para mais deslizes. Considera cada exceção como uma *afronta a Mim*, e deixa que esse pensamento te ajude a evitá-las.

Não deixes que o mal te vença, lançando-te de volta aos velhos hábitos... há sempre um preço a pagar pela fraqueza quando podias ter sido forte! Se desejas abandonar hábitos pecaminosos *permanentemente*, não te abandonarei de forma nenhuma. A *tua* falha está em vacilar em tua confiança.

Se observais Meus mandamentos,
permanecereis no Meu amor.
(João 15,10)

Um *anseio* do que podes Me dar acompanha o Meu amor por ti... num mundo que praticamente se esqueceu de Mim!

Não penses que tens pouco a Me oferecer. Cada resposta Me dá grande alegria, grande consolo... cada resposta de gratidão, de confiança singela, de decisão de te manteres próximo a Mim. Esses gestos podem parecer pequenos para ti, mas atendem à Minha *necessidade* da tua resposta de amor.

Muitas vezes não estás motivado conscientemente a dar-Me, mas quando nossos espíritos se unem num *determinado* aspecto, a tua motivação é profunda e o teu Amigo divino a sente com intensidade e agradecimento.

Sempre que te diriges a Deus, mesmo que anteponhas a tua necessidade a tudo, o anseio divino é saciado!... as tuas necessidades começam a ser satisfeitas, mas também proporcionas um momento muito precioso ao Salvador da humanidade.

... tu Me amas?
(João 21,17)

Não apenas olhas "na direção" da luz da Minha presença. A luz é mais *imediata*... uma luz envolvente, que deve ser constantemente vista no teu modo de viver em Mim.

Os poderes das trevas conhecem bem a Minha luz; para eles, ela indica que não podem prejudicar nem impedir de modo permanente o progresso do Meu escolhido.

Tens o privilégio de recusar tudo o que é das trevas. *Escolhe* a luz impulsivamente; deixa-a penetrar nos recantos escuros em ti; deixa-a expulsar a ansiedade; deixa-a ajudar-te a reagir rapidamente contra o que não deve viver nessa luz.

Eu te dou o que precisas para viver agora numa claridade que pode ser *constante*, ajudando-te a recuperar a paz, a evitar uma luta impossível e autoconsciente. Não é apenas uma luz de exclusão! A Minha luz produz um espírito leve... cheio de esperança e pronto a encontrar o que quer que apareça.

A luz veio ao mundo...
(João 3,19)

Podes desejar muitas coisas para outros, apesar de conheceres de modo imperfeito o que é melhor para eles, especialmente a longo prazo.

O que podes pedir sempre, com confiança absoluta, é também o *Meu* primeiro desejo; esse desejo é que alguém *comece a experimentar o Meu amor*.

Qualquer que seja a necessidade como a vês, pede, acima de tudo, aquele raiar do Meu amor no coração da pessoa. Certo de que essa é a Minha vontade, tem confiança crescente na eficácia da tua oração. Não precisas procurar resultados aqui, mas alegra-te agradecendo-Me por Eu estar agindo.

Meu filho, não precisas ser convencido de que o conhecimento do Meu amor inabalável satisfaz perfeitamente as mais variadas necessidades humanas — na verdade, ele pode impedir o despertar de muitas dessas necessidades!

Sê sempre profundamente grato pela parceria Comigo para espalhar o Meu reino de luz. Eu trabalho incessantemente — em ti, através de ti e em torno de ti. Por isso mantém tranquilidade de espírito.

Tudo é possível àquele que crê.
(Marcos 9,23)

Talvez existam barreiras que te impeçam de receber tudo o que Eu tenho para dar.

As barreiras mais evidentes: pecados não perdoados, ressentimentos, o orgulho que se apraz em dificultar a solução de problemas de relacionamento. E as barreiras mais sutis, especialmente a da *reserva espiritual*... que consiste em não *esperar* de Mim, em não reconhecer plenamente o Meu envolvimento íntimo e a Minha intervenção.

A reserva espiritual é sempre vulnerável às investidas do mal. Ela acarreta o perigo de uma autoconfiança *equivocada*, em substituição a um convite feito a Mim para intervir. Quanto maior a reserva, mais estreita a passagem para a Minha influência. Corriges essa reserva pedindo-Me o presente da fé *singela*... a fé que recorre a Mim com respeito e reverência e com uma expectativa totalmente justificada.

Espera tão somente o *melhor* de Mim... alcançando alturas que antes pareciam apenas um sonho!

**Aquele que não receber o Reino de Deus
como uma criança, não entrará nele.**
(Marcos 10,15)

Compreende o valor do descanso — dividido, conscientemente, Comigo. Compreende a *plenitude* do que recebes quando te esquivas das exigências e ansiedades do mundo e te rendes à Minha presença.

Vem descansar frequentemente, por menor que seja o tempo de que dispões; entrega as tuas preocupações ao Meu amor. Imagina-te como uma criança — uma criança *perdoada*, que se arrependeu da ofensa que Me fez.

Nenhum fator humano pode dar a proteção absoluta da mente que resulta do Meu amor e da Minha conquista do mal, pois Eu trato as causas do conflito mental. O descanso físico por si só recupera apenas parcialmente, porque muitas preocupações podem continuar perturbando. É quando descansas em *Mim* que vês a realidade em suas devidas proporções... vislumbrando uma saída para as dificuldades do momento.

Nesse descanso, voltas a entrar em sincronia com os Meus propósitos; trazes as necessidades dos outros a Mim; começas a *gostar de Mim!* Agradecer-Me por Eu estar te recuperando *ajuda a consolidar* essa recuperação.

Vinde... e descansai um pouco.
(Marcos 6,31)

Lembra que uma natureza tíbia ou as circunstâncias aparentemente "impossíveis" só servem para mostrar quanto Eu posso alcançar! A tua apropriação de Mim abarca tudo e leva em si uma influência que assegura a satisfação das necessidades mais profundas do espírito, as que eu considero importantes para ti.

A promessa da Minha fidelidade é mais do que apenas um estímulo; ela consiste em trazer o teu coração para mais perto, para a total dependência de Mim.

Para te lembrares da Minha fidelidade, medita todos os dias sobre os Meus cuidados, sobre a orientação que te dou em meio a situações difíceis, sobre os perigos (fatais sem a Minha presença) para os quais recebes a Minha proteção.

Refletindo sobre esses fatos, não haverá necessidade de argumentos para te convenceres do que sou capaz de fazer.

Acaso existe alguma coisa difícil para o Senhor?
(Gênesis 18,14)

O medo quase sempre recua diante de um coração agradecido! Um coração agradecido Me deixa muito contente, mas também te permite encontrar satisfação com a tua vida que detém o medo *em sua origem*.

É a atitude agradecida e reverente para Comigo que te resguarda das incursões apavorantes do mal. Se condescendes com as mentiras e distorções do mal, o medo toma conta de tudo. Num sentido muito real, o coração *agradecido* está dizendo que o amor *reina* e que tudo está bem. Então o medo terá dificuldades sempre maiores para encontrar um ponto de apoio.

Cria muitas ocasiões para Me dizer, com muito fervor e muita fé, que não há nada a temer — à medida que a tua vida se torna uma vida de gratidão singela e louvor natural.

O Senhor teu Deus é um Deus fiel!
(Deuteronômio 7,9)

Aprende a discernir os pensamentos que podem se transformar em emoções difíceis de controlar. O mal introduzirá pensamentos fúteis (aparentemente inócuos) que podem levar-te a atitudes críticas ou ressentidas, ou a criar uma intenção malévola.

Desenvolve o estado de *alerta* que te previne contra o que não são impulsos construtivos amorosos que procedem de Mim, um alerta que se intensifica quando te impregnas da Minha presença, da Minha palavra e da fruição das dádivas mais benéficas da vida.

Somente os que têm sua vida centrada em Mim aprendem a reconhecer a tentação pelo que ela é; terás *mais* consciência da atividade do mal como Meu seguidor.

Ao perceber que tomas o caminho errado — para um espírito agitado, para a ansiedade, para o "ego" sob qualquer forma, olha para Mim e deixa-Me assumir o controle. As palavras "Somente *Tu*, Senhor" (excluindo assim tudo o que não é influência Minha) ajudarão enormemente a recuperar a calma e o otimismo.

O diabo... é mentiroso!
(João 8,44)

A Minha vinda a este mundo para revelar o Deus eterno no processo do tempo representou o modo como *sempre* venho aos corações que irão Me receber. Eu vim com o único desejo de levar Meus filhos ao seu verdadeiro lugar de segurança... o amor do Meu Pai.

Eu vim aonde o conhecimento e o prestígio mundano não importavam... como ainda faço.

Eu vim aonde havia consciência da necessidade... como ainda faço.

Eu vim aonde havia uma disposição para seguir cegamente... como ainda faço.

Ainda visito muitas vidas na terra hoje... visitas discretas e que sempre alegram o Meu coração. Meu filho, Eu te atraí a Mim; nunca deixes de Me agradecer por isso. Minha chegada numa vida é sempre um momento decisivo... do mesmo modo que o Meu nascimento em Belém foi o momento decisivo de toda a História.

Eis que estou à porta e bato.
(Apocalipse 3,20)

Procura adequar a tua vida à Minha ação, pois podes percebê-la... Na criação, como sabes, essa ação é gradual — muitas vezes imperceptível — mas dirige-se inevitavelmente na direção de manifestações de beleza, e com uma regularidade da qual podes depender.

Grande parte do que poderia enriquecer a vida perde-se porque as Minhas oportunidades não são aproveitadas, porque não há reconhecimento de que Eu conduzo... Meus filhos caminham muito atrás de Mim!

Perigos iguais existem na manipulação da vida *adiante* do Meu padrão para ti. Nenhuma necessidade tua é esquecida e a Minha ação quase sempre gradual é *deliberadamente* assim... baseada na Minha onisciência.

Meu filho, farei com que saibas quando estás te esforçando adiante de Mim... quando ocorre aquela combinação desastrosa de obstinação e impaciência. Podes então retornar novamente ao Meu passo e recuperar a tranquilidade de espírito.

As minhas ovelhas escutam a minha voz e me seguem.
(João 10,27)

No mundo natural, vês que onde existe amor existe o desejo constante de salvar os objetos desse amor do seu próprio desatino e cegueira. Meu filho, toma consciência do privilégio de participar do Meu poder de *controlar*.

Exercendo a tua liberdade de escolha, muitas vezes te perdes — especialmente quando deixas impacientemente de *dividir* Comigo. Sequelas dolorosas inevitáveis acompanham esse divagar — as quais estão aí para te ensinar. De um modo que excede em muito o amor protetor humano, eu intervenho muitas vezes... controlando aquilo que não seria proveitoso ao longo do Meu caminho.

Sim, podes depender do Meu amor, controlar por ti, mas não *atraias* a insatisfação ou reveses desalentadores, ignorando o Amigo que espera por ti para entregar *tudo* a ele. Viver sem referência à Minha presença significa *perigo*. Embora ainda sob Meus cuidados, o teu progresso e a tua paz se perdem facilmente.

O Senhor teu Deus, no meio de ti, é poderoso.
(Sofonias 3,17)

O Meu espírito em ti desenvolverá (se permitires) muitos dons — dons que Eu posso usar. Minha Presença significará uma expressão *intensificada*, em ti, daquelas qualidades humanas que refletem a Minha existência.

O teu amor, paciência, coragem e autossacrifício sempre maiores servirão de exemplo aos Meus *outros* filhos. Podes não perceber o desenvolvimento desses dons, mas outros perceberão; eles ficarão maravilhados com o que pode realizar a Minha presença em uma vida — (às vezes trabalhando com quase nada).

Tudo o que alcanças com os dons que Eu desenvolvo em ti leva a marca da *permanência*.

Corações conquistados para mim.

Esperança recuperada em vidas amarguradas.

Essas serão realizações verdadeiras, quando vistas da perspectiva da eternidade... Meu filho, Eu te abençoo ternamente agora, fortalecendo-te para que abençoes outros.

Vós sois o sal da terra.
(Mateus 5,13)

Nos tempos de crise permitidos por Mim, age com calma, consciente do que sinto por ti.

Nessas crises, simplesmente diz a *verdade* que brota do teu coração — quando Eu te dou a oportunidade. Evita conversas inúteis, esforços desnecessários; que a oração permeie cada contato com outros. Perto de Mim, Eu te mostrarei muito claramente através de *fatos* que estou em ação.

Evita "soluções" passageiras que enfraquecem a tua confiança em Mim. Reflete sobre o modo como te conduzi através de crises passadas; assim aprofundarás a tua confiança na Minha suficiência *presente*, e essa confiança se confundirá com uma alegria que parecia impossível para ti.

Lá, quando tempestades e crises atuais cumpriram sua função, encontras... a Mim mesmo! Vê *além* da crise, o lugar onde eu estive antes... o lugar da *tua* vitória.

Silêncio, quieto!
(Marcos 4,39)

Não é mera figura de linguagem quando Eu expresso a parte essencial da Minha natureza como sendo a do Bom Pastor.

Entende que onde um filho Meu está perdido, não é por obrigação que Eu quero resgatá-lo. Eu procuro o filho perdido porque sou *incompleto* enquanto esse filho não está de volta em segurança aos Meus braços.

É muito triste viver toda uma vida longe do lugar seguro — aconchegada conscientemente em Meus braços. O amor irá sempre à procura até do filho mais rebelde, ansiando por aquele remorso verdadeiro, uma sensação da Minha terna misericórdia, um afastamento do mau caminho.

Em sua peculiaridade, o amor divino procurará sempre recuperar um objeto precioso de sua criação — seja como for que o mundo veja a ternura incessante desse amor.

**Achando a ovelha perdida, alegre
a coloca sobre os ombros.**
(Lucas 15,5)

Meu filho, aprende a ver reflexos Meus no que é familiar. A imagem divina, a cuja semelhança a humanidade foi feita, muitas vezes fica encoberta, mas não está perdida.

Em cada ato de sacrifício, em cada momento em que suportas com paciência um episódio de sofrimento, ou de imperfeições de outros, vê um reflexo parcial do Meu amor; em cada ato de perdão, em cada momento de regozijo propiciado pela reconciliação (sim, admitindo a "culpa" que proporciona esse momento), vê o Meu amor refletido; em cada socorro prestado a uma criança adoentada, em cada ato de apoio incansável a essa criança, reconhece Meus braços eternos.

Em cada alegria inocente e natural, vê parte da alegria divina; em cada mudança de bom para melhor, vê um pouco da santidade divina; em cada iniciativa humana dedicada e paciente, reconhece uma parcela da sabedoria eterna.

Ainda podes ver a Minha imagem no homem, que nele se expressa e te mostra que a destruição final de tudo o que se opõe a Mim é inevitável.

Façamos o homem à nossa imagem.
(Gênesis 1,26)

Eu jamais pediria aos Meus filhos algo que estivesse além das suas possibilidades. Lembra-te disso ao enfrentar obstáculos e tentações.

Naturalmente, é essencial repelir a tentação *imediatamente*... com o olhar posto em Mim, com o olhar da fé... levando-te a vencer o que é errado, vendo-Me envolver-te e amparar-te.

Tudo o que abate o teu ânimo — dúvidas a Meu respeito, desânimo, ansiedade — representa tentação, à qual se segue facilmente o pecado que atinge os outros. Protege-te do mal que age através do cansaço ou que te leva a fixar-te nas imperfeições, na "irracionalidade" dos outros. Vê a mão do mal em todo estado de pânico.

Meu filho, impede a ação do mal identificando-te o mais possível com o que é bom, belo, alegre e inocente. Tu *já estás salvo* do poder do mal.

A Minha força manifesta todo seu poder na tua fraqueza.
(2 Coríntios 12,9)

Entende que não podes exigir demais do Meu amor paciente. Lembra-te novamente do Meu amor na Cruz.

Eu não recuei diante do Calvário e ainda derramo o Meu amor... *contente* quando esse amor atende às necessidades de um filho que Me faltou ou que está angustiado... *contente* porque o Meu amor se *realiza*.

Medita constantemente sobre a dimensão *sacrifical* do Meu amor... esperando para responder quando crês que as tuas exigências à Minha paciência se tornaram excessivas.

Meu filho, quando estás consciente de ter faltado Comigo, quando o remorso te atormenta, volta-te para o Meu coração compassivo... Sim, as tuas falhas Me fazem sofrer, mas sofro *ainda mais* quando deixas de reconhecer, e de absorver, a *grandeza* do Meu amor.

Ninguém tem maior amor do que aquele
que dá a vida por seus amigos.
(João 15,13)

Meu filho, pensa no privilégio de viver no Meu lugar secreto. O próprio ego humano recua diante das investidas do mal e do mundo contra ele, mas no Meu lugar secreto tudo o que te ameaça (aparentemente de dentro de ti ou do teu entorno) sucumbe quando transformas o reino do Meu amor em tua fortaleza.

Nesse lugar encontras segurança *verdadeira*; nele podes, ao enfrentar grandes dificuldades, entregar-te ao Meu amor envolvente e deixar que tudo o mais simplesmente se dissipe.

No Meu lugar secreto, absorves a força necessária para prosseguir... recebes claridade — ou a paciência que precisas até receber uma nova luz.

Para ti, Eu sou Escudo, Salvador, Amante, Renovador do teu espírito.

... sozinho com teu Pai.
(Mateus 6,6)

Na incerteza, busca em Mim a resposta para a dúvida se deves influenciar os eventos ou se deves apenas observá-los acontecendo.

Muitas vezes o medo será teu guia, e deverás enfrentá-lo. Não deixes que pretextos mundanos afetem a tua direção. Quando o caminho à frente não está claro, Eu te *guiarei*, desde que te entregues totalmente.

Consulta-me a respeito de cada decisão. Quando Eu te mostro um caminho aberto e ao longo dele manifesto o Meu amor, deves ser decidido. Não permitirei consequência que não posso usar; não dês ouvidos ao mal e teme as consequências de ações depois de consultar-Me. Mesmo as consequências "duvidosas" apressarão Meus planos para ti. Os resultados da procura da Minha vontade são sempre bons a longo prazo, mesmo se as consequências imediatas te levam a duvidar!

Vou instruir-te, indicando o caminho a seguir.
(Salmo 32,8)

Viste como as adversidades podem derrubar barreiras e possibilitar o surgimento de um relacionamento de amor. Meu filho, constou do Meu plano que experiências ruins nos aproximem sempre mais.

Pensa na Minha paciência em esperar que reconheças toda a atenção que te dedico. Pensa também na Minha alegria quando começas a corresponder ao Meu amor por ti aumentando a tua confiança em Mim.

Tudo o que faz parte da existência tem o objetivo de *nos aproximar*. É por isso que permito muita coisa que surpreende a humanidade... ocasião em que um espírito humano se une a Mim. Meu amor se ocupa de ti em todas as circunstâncias possíveis. Vê a Minha mão em toda situação complexa entregue de coração a Mim.

Não só podes nutrir-te cada vez mais do Meu amor; o teu próprio amor sempre maior e a tua dependência de Mim também fazem com que Eu te atraia a Mim... Nos meus braços de amor, prossegue como uma nova pessoa, com uma canção em teu coração!

Eu te amei com um amor eterno.

(Jeremias 31,3)

Quem, na terra, contempla a dimensão espiritual enfrenta dois perigos.

O primeiro é o perigo da *separação*... considerando-Me como totalmente outro e praticamente incognoscível. Torno-Me objeto de pesquisas intermináveis que, por sua natureza, não chegam a conclusão nenhuma. O segundo é o perigo da *confusão*... que não distingue entre aquilo que habito e aquilo que é estranho ao mundo do espírito.

Meu filho, percebes que com o primeiro desses modos de pensar tu mesmo crias e impões uma barreira ao conhecimento de Mim enquanto Alguém íntimo, identificado contigo e amigo. O segundo modo de pensar pode criar uma "tolerância" fácil em que o sentido *definido* do Meu ser se perde. Esmorece, então, o senso de dever e tomam uma direção errônea o amor e a piedade.

Sim, ama-Me onde Me encontras na Minha criação e em Meus outros filhos, mas deixa que o Meu lugar no teu pensamento seja *central*, nunca vago ou difuso. Tua atitude confiante tem um efeito definido sobre a ação divina, criando as condições para que Eu possa agir por ti da melhor maneira possível.

Eu sou o pão da vida.
(João 6,35)

Um *manto* de amor... Meu amor dá sentido a possibilidades, escolhas, temperamento, circunstâncias. Grande parte dos males da humanidade procede das feridas não curadas por esse amor... feridas expressas em ódio, confusão e fracassos. A influência do Meu amor afasta tudo o que poderia prejudicar a tua herança como Meu escolhido.

A Minha amizade envolve uma orientação calma; uma paciência infinita; o Meu desejo de guiar-te através de toda situação difícil.

Diante do Meu amor, o medo se dissolve e tu podes encarar todas as exigências. Deixa que o amor seja a motivação da tua vida... de modo a transformar a vida, de modo a não só te sentires confortado, mas estimulado a tentar grandes coisas!

Assim como o Pai Me amou
também Eu vos amei.
(João 15,9)

Ao dominar tudo o que procede das trevas, pensa na Minha vitória e no Meu amor.

Para aproximar o Cristo que está dentro de ti do Cristo que está à tua volta... precisas ver a luz... a luz do Meu amor envolvendo-te, a luz do Meu poder *dentro* de ti... consequência natural do Meu espírito que habita em ti.

A consciência que *conquista* é uma consciência dupla:

Meu amor estimulante e indulgente.

Minha vitória, à qual estás unido, automaticamente, depois de me introduzir em tua vida.

Observa com frequência a Minha criação... sua beleza e ordem. Vê o mal como o *intruso* que subtrai a felicidade humana e afasta os corações de Mim. Vê a luz do Meu amor envolvente e a luz do Meu poder em ti como um *todo único*... uma barreira contra aquele intruso. Vê o progresso dos Meus propósitos criativos e amorosos, não afetados pelas atividades maléficas que Eu permito — para aumentar a tua dependência de Mim.

... para vos tornardes filhos da luz.
(João 12,36)

Lembra que não deves devolver na mesma moeda o tratamento que recebes de outros. Outros podem tratar-te com crueldade, tirar proveito de ti, difamar-te, ignorar--te; normalmente, isso acontecerá *porque* tu Me segues. Às vezes o teu sentimento de injustiça cometida contra ti será mais intenso porque a pessoa que te agride é outro seguidor Meu.

Conscientiza-te da tentação de perder a Minha preciosa paz; deixa que *Eu* lide com qualquer afronta, qualquer desejo de vingança verbal ou de outras formas. Não conheces as circunstâncias que causaram a agressão ou se alguma coisa *em ti* a provocou. Entrega o coração do agressor a Mim... e se a sensação de insulto queima em demasia, reza com fervor ainda maior. Deixa que Eu providencie a cura.

São *incontáveis* os casos em que a oração prevalece — e um filho Meu bendiz a ocasião em que *não* retaliou.

Se perdoardes os outros, sereis perdoados.
(Mateus 6,14)

Procura não deixar passar nem um dia sem que conquistes um novo aspecto.

Examina o que precisas mudar, aproveitando a liberdade que te é concedida. Sê bem específico quanto a deixar uma determinada área sob a Minha influência para produzir novas reações. Lembra-te das obrigações e da obediência que devem corresponder aos privilégios que tens, em Mim.

Meu filho, preserva sempre a consciência de tudo o que prejudica a tua relação Comigo, a nossa amizade.

Em vez de te deixares abater pelos muitos aspectos que precisas corrigir, enfrenta sistematicamente cada faceta deficiente e transforma cada dia num ato de *superação*, mantendo o olhar fixo em Mim.

Não é preciso que Eu te lembre da necessidade que tens, então, de te agarrares a cada conquista obtida.

Basta-te a Minha graça.
(2 Coríntios 12,9)

Meu filho, cada momento que reservas para Mim propicia mais do que benefícios evidentes para ti. Não só recebes cura do espírito e luz para o teu caminho; essas ocasiões também influenciam a atmosfera dos teus momentos mais agitados, quando, talvez, não consegues te concentrar totalmente em Mim.

A reserva deliberada de tempo para que nossos espíritos se comuniquem ajuda a ampliar a Minha atividade na tua vida, de modo que te tornas cada vez mais consciente da Minha presença — mesmo quando muitas coisas te preocupam; essa consciência assegura a morte do ego.

É o Meu espírito em ti que te leva a te dirigires a Mim quando a vida é turbulenta e quando precisas desesperadamente da estabilidade que procede somente de Mim.

Alimenta o teu espírito ficando sozinho Comigo, sempre que puderes, e deixando que essa comunhão Comigo se estenda aos períodos mais difíceis da vida.

Escutai-Me e vinde a Mim,
ouvi-Me e haveis de viver.
(Isaías 55,3)

Quando há muita coisa em jogo, o mal fará de tudo para desviar-te do Meu caminho. Recorre a Mim para que Eu te dê discernimento quando deves tomar decisões importantes... do ponto de vista *divino*; do contrário, podes subestimar o significado dessas escolhas.

O mal sabe o que pode resultar desses momentos decisivos em tua vida. Considerando o perigo em potencial, proclama vitória sobre influências contrárias em qualquer questão que Eu te mostro ser importante para o teu progresso como Meu servidor. Eu manterei o mal sob controle; proclamar a vitória será um lembrete tanto do perigo quanto da necessidade de te manteres perto de Mim.

Ao enfrentar novos desafios, novas oportunidades, agradece-Me, constantemente, por Eu estar impedindo tudo o que pode confundir ou deter o teu verdadeiro avanço.

Quem Me segue não andará nas trevas.
(João 8,12)

Meu filho, estás angustiado?

Teu espírito está deprimido?

Tens uma sensação persistente de culpa, apesar do Meu perdão?

O *único* remédio está em Mim. Enfrenta esses ataques do mal de maneira totalmente nova, permitindo que a Minha vitória proteja a parte mais profunda de ti contra a continuação dessas investidas. Em vez disso, sente a calma, a volta da esperança e da crença em ti mesmo, trazidas por Minha presença.

Tu sabes que o Meu poder é invencível... usa cada ocasião para fortalecer tuas defesas. Vê as coisas negativas como *incapazes de se imiscuir*, pois a paz preenche novamente o teu ser... Eu não permito que elas retornem enquanto recorres a Mim. Podes surpreender-te com novas reações, pois confias no que estou fazendo por ti.

O Senhor teu Deus é um Deus que salva;
Ele se regozija por tua causa.
(Sofonias 3,17)

O medo é uma fortaleza do mal que deve ser demolida para que sejas usado com eficácia. Resistência ao medo significa um "clima" melhor para a vitória contra comportamentos pecaminosos... o mal pode provocar menos destruição. Do mesmo modo, a resistência ao pecado proporciona um "clima" mais favorável para derrotar o medo.

O medo pode te levar a agir com pressa inconsequente; conduzir-te a uma autocondenação errônea; induzir-te a um excesso de trabalho e estresse acusando-te de negligência do "dever"; dissuadindo-te de usufruir períodos de descanso que recuperam a sensação da Minha presença; levar-te a negligenciar coisas importantes em favor do que é secundário.

Dá teu amor a Mim e aos outros, temendo *tão somente* uma revolta clara contra a Minha vontade. Uma vitória total sobre o medo é possível *nesta* vida. A Minha vitória é tua vitória para ser usada... o que é impossível com homens Eu posso realizar para ti!

Não tenhas medo, pequenino rebanho.
(Lucas 12,32)

Através da história, os Meus filhos contaram com a Minha fidelidade, libertando seus espíritos da insegurança e dos maus pressentimentos. Essa fidelidade não tem igual sobre a face da terra.

Estando muito acima das limitações terrenas, posso garantir que a Minha preocupação por ti se traduz como uma intervenção muito prática, infalível, em circunstâncias sobre as quais não terias controle. A Minha provisão não falhará um dia sequer; sabedoria, portanto, é viver somente para o presente. A confiança abre as portas do meu depósito.

Sim, Meu filho, estou atento aos teus assuntos nas ocasiões em que tu, tu mesmo, talvez os estejas negligenciando. Estou incluindo no Meu plano aqueles aspectos emaranhados da vida que tu me entregaste; os *eventos* da tua vida estão todos trabalhando a teu favor!

Antes de Meus filhos Me invocarem,
Eu já lhes terei respondido.
(Isaías 65,24)

Meu filho, a preparação ideal para a oração atendida é garantir que *toda a tua vida* reflita cada vez mais a tua confiança no Meu amor — e no Meu poder a toda criação.

Na tentativa de ajudar ou curar os que conheces, não anseies por resultados imediatos ou superficiais... podes ter certeza de que a tua oração libera o Meu poder de cura e afrouxa todo grilhão do mal.

A pessoa por quem oras se *aproxima mais* de Mim e *recebe*. Agradece-Me por isso. Agradece-Me porque todas as tuas orações — feitas com Meu amor e poder firmemente fixados em tua mente — são bem aproveitadas. A paz e a esperança chegarão a muitos outros através de ti, à medida que aprofundares a tua confiança.

É um grande privilégio estares ligado à Minha atividade amorosa e salvadora entre os Meus filhos!

**Tudo quanto pedirdes em oração, crede
que recebestes, e assim será para vós.**
(Marcos 11,24)

Descobriste que existe um grande abismo entre expressões de confiança (e mesmo verdadeiros *sentimentos* de confiança)... e a realidade de verdadeiramente confiar.

Sabes que sou invencível. Às vezes, quando pões essa invencibilidade à prova (ocasiões em que o mal te desafia), mostras a inconsistência dessa confiança. É uma vitória grandiosa para ti quando, com medo de agir de maneira nova *nessa* ocasião, confias na Minha *invencibilidade*... e ages!

A confiança está no centro de todo progresso espiritual e deve abranger não somente Minhas disposições gerais sobre o futuro, e tua segurança em Mim, mas também os conflitos diários brutais em que, tão frequentemente, há transigência, e não vitória de fato.

Meu filho, quando *ages* com confiança, tudo o que se opõe a Mim em tua vida rende-se à Minha presença.

Todo aquele que ouve essas Minhas palavras e as põe em prática será comparado a um homem sensato que construiu a sua casa sobre a rocha.
(Mateus 7, 24)

Deves levar Meu amor aonde quer que haja confusão e incerteza, e lá instalar a paz.

Descobriste que a tua paz não deve depender de casualidades variáveis; o uso do Meu amor para dar passagem à paz deve tornar-se perfeito. Antes que o efeito das circunstâncias turve o teu estado de espírito, deixa que o Meu amor realize sua atividade neutralizadora; antes que o comportamento problemático ou as falhas de caráter de outrem fervilhem nocivamente dentro de ti, convida o Meu amor.

Meu amor rouba, literalmente, o poder das exigências e provações da vida de perturbar o teu equilíbrio. Deixa que essas circunstâncias inquietantes sejam tragadas no pensamento do Meu amor... nunca esperando que mudem, seja de modo espontâneo, seja por teus esforços. Agarra-te ao pensamento do Meu amor até *saberes* que tudo o que te perturbava cedeu agora lugar à paz.

Ah, se conhecesses a mensagem de que a paz depende!
(Lucas 19,42)

Em situações difíceis, se te parece irreal a expressão de agradecimento que Me deves, lembra que a *tua* gratidão não se limita a experiências da vida, mas se estende a dádivas ainda não concedidas.

Nada alegra mais o Meu coração do que a tua confiança fundamental na Minha atividade, quando não vês motivo para agradecer. Então participas da Minha própria *antecipação* do que te está reservado. Ao agradecer-Me por Eu não falhar, entras na dimensão em que planos são constantemente feitos para o teu bem maior... a dimensão onde a escuridão se dissipa.

Meu filho, és chamado a uma vida de agradecimento e reverência em meio ao que, às vezes, é totalmente desestimulante. O sentimento de gratidão revela um coração humano que compreende profundamente a *fidelidade* do amor divino.

A tua fé te salvou; vai em paz.
(Marcos 5,34)

Nada pode afastar-te do Meu caminho, a não ser as distrações a que dás atenção!

Estou o tempo todo neutralizando coisas que podem desviar-te, mas por tua obstinação, adotando temporariamente os padrões do mundo, podes desviar-te da segurança e da natureza ascendente da Minha estrada. Embora nunca possas sair do Meu cuidado, entregaste tanta coisa... terreno que deve ser recuperado, muitas vezes por um processo longo e doloroso.

Não te sintas complacente, portanto, por permanecer sob Meus cuidados e por poderes retomar o caminho com facilidade. Por causa do Meu amor, quando te arrependes de ações contrárias aos Meus desejos, recuperas imediatamente muita coisa. Mas a verdadeira sabedoria consiste em *evitar* a necessidade da recuperação do terreno perdido. Recusa toda transigência temporária; evita entrar facilmente em áreas de perigo por tuas palavras e atos... Podes então depender de Mim para não sofrer nenhuma influência perigosa.

Medita sobre o que te ordenei... e obedece.

(Josué 1,8)

Meu filho, examina a natureza do que pode obstruir o teu caminho. Tens noção da atividade maléfica que cria obstáculos para ti... oposição humana, confusão, confiança limitada em Meu poder de te conquistar.

Diante de qualquer obstáculo, tens uma opção: contorná-lo ou enfrentá-lo; nos dois casos, o fator comum, naturalmente, é a oração. Lembra que um obstáculo (real ou imaginário) muitas vezes é simplesmente *afastado* por tua oração paciente e confiante... um afastamento que não se deve à tua iniciativa. Quando um obstáculo *persiste*, e precisas engalfinhar-te com ele (defender um princípio ou tomar coragem), a oração é novamente o teu recurso.

Nenhuma barreira à tua realização espiritual pode perdurar — a não ser temporariamente, tendo em vista um bom objetivo. Mantém-te firmemente apoiado em mim enquanto os obstáculos desaparecem ou à medida que os superas com uma força que não é tua.

As muralhas da cidade cairão para ti.

(Josué 6,5)

Meu filho, há muita incompreensão com relação ao que Me aborrece. A maior ofensa ao Meu amor ocorre quando segues um impulso que sabes em teu coração não proceder de mim. Quando não te referes a Mim e por isso não adaptas a tua conduta, ages no sentido inverso da minha influência constante e corretamente orientada ao teu futuro.

Quedas são inevitáveis devido às fraquezas da tua condição humana, e muitas vezes é como se houvesse uma conspiração para te pegar desprevenido. Falhas desse tipo na complexa área dos relacionamentos e objetivos conflitantes são (por causa da minha misericórdia e paciência) *menos* prejudiciais à tua eventual realização do que o é a obstinação deliberada.

Quando Eu sou temporariamente "posto de lado", o Meu amor não se retrai, mas perdes uma influência para sempre e podes cair na armadilha de uma área fútil ou destrutiva. Por maior que seja a pressão para fazer isso, jamais Me excluas; cultiva um temor prudente da maior ofensa a Mim... a obstinação!

Largo e espaçoso é o caminho que conduz à perdição.

(Mateus 7,13)

Sentirás muitas vezes que queres dar-Me devido à pura e alegre compreensão da Minha provisão na tua vida.

O que podes Me dar?

Para começar, deves ter sempre presente a Cruz, meditando sobre o Meu ato salvífico por ti, e sussurrado, "Senhor, meu coração te pertence!" Muito antes que as tuas boas ações ou as vitórias sobre atitudes errôneas se consolidem, Eu aceito e sempre me *lembro* do presente do teu coração... um presente que tenho sempre diante de Mim.

Meu filho, a diferença decisiva na tua vida é saber que não te pertences. Encontra satisfação profunda no fato de o teu coração ter sido entregue a Mim. Ocasiões para trazer alegria e consolo a Mim — (tua bondade para com os outros, o testemunho que dás de Mim) fluirão do indispensável presente inicial do teu coração.

Deveis nascer do alto.
(João 3,7)

P or Meus filhos terem de fato livre-arbítrio, determinei que deve haver um *esforço* consciente de obediência... contra pressões e desejos contrários. Esse esforço é *sempre* abençoado por Mim. Obediência *não* significa conflito cansativo; antes, é um caminhar alegre e paciente no Meu caminho.

Meu filho, *perde-te* no Meu amor, para que Eu possa cumprir Meus planos para ti rapidamente. Mantém tuas promessas para Comigo... sem discussões internas ou preocupação quanto a te "achares" certo.

Há muita coisa a fazer naqueles que atraio a Mim. O segredo de caminhar em obediência é sempre uma *resposta*... ao Meu amor! Onde Eu vejo fidelidade (apesar das falhas), Eu recompenso essa fidelidade levando Meus filhos ao nível mais elevado, onde cada vez mais Meus propósitos se realizam neles.

Verdadeira felicidade é ouvir a palavra
de Deus e observá-la.
(Lucas 11,28)

Meu filho, pede que sejas capaz de distinguir, em tudo o que se apresenta, entre o que procede de Mim e o que é contaminado pelo mal. Sensibilidade e aversão ao que é danoso decorrem de estar em Minha companhia e da tua determinação de Me seguir.

Há ludíbrio do mal em esferas onde muita coisa está em jogo... inclusive em instituições que levam o Meu nome. Querendo saber o que procede de Mim, e sem te desviares de Mim, sairás da confusão. Não precisarás procurar a Minha vontade ansiosamente, mas encontrar a ti mesmo, instintivamente, sabendo o que é de luz, e seguindo-o.

Deixa-Me tornar-te vividamente consciente do perigo — seja na situação que te envolve, seja nos teus processos de pensamento, que precedem a ação. Se *realmente* queres que a Minha voz de admoestação seja inequívoca em um mundo confuso, assim será.

Caminhai enquanto tendes luz.
(João 12,35)

No total esvaziamento de Mim mesmo, que culmina na Cruz, vês o sacrifício que és muitas vezes chamado a fazer... desfazendo-te de todo conhecimento e orgulho, e tornando-te como uma criança. Nesse estado de humildade, preparado para ser explorado, preparado para *perder*.

Em meu total esvaziamento de Mim mesmo, vê a enorme distância que o amor pode percorrer em favor de seus filhos. Esse também é *teu* padrão. Quando te esvazias do ego... de tudo o que obténs no mundo, tu podes, mais eficazmente, refletir-Me. O esvaziamento de Mim mesmo possibilitou que Meus filhos se *aproximassem* de Mim... para *esperar* compreensão. Eu só poderia encontrar Meus filhos no nível da necessidade deles deixando tudo de lado, menos o amor.

Meu filho, para ti isso será difícil... mas não há outro jeito.

Eu sou manso e humilde de coração.
(Mateus 11,29)

Como vês os que estão próximos de ti?

É bom te assegurares frequentemente que, estando Eu em ti, vejas o mundo com os olhos do Meu amor. Não podes deixar de ver o preconceito, a indiferença, a cobiça, a má-fé e a frieza em muitos. A tua consciência do que tem origem no poder das trevas será intensificada pela Minha presença em ti.

Vendo a existência com maior clareza, deves agora deixar Meu amor ocupar os teus pensamentos. Deve tornar-se instintivo ver a pessoa "desajuizada" como alguém que precisa da Minha bênção, cabendo a ti desejar essa bênção. Não ofendas os outros, diretamente ou por conversas difamatórias com terceiros.

Em vez de te enraiveceres com as deficiências dos que te cercam, sente a Minha presença abrandando a tua atitude para com eles. Obedece ao Meu mandamento de abençoar um filho que *agora* vês em sua *necessidade*.

Se amais aos que vos amam, que recompensa tendes?
(Mateus 5,46)

Quando estás muito decepcionado contigo mesmo, e tens consciência de ter Me ofendido, volta-te para Mim, pois sabes que não te abandonei...

Sabes que Eu ainda preciso de ti.

Sabes que por causa da tua confiança em Mim, somos companheiros neste mundo sombrio.

Sim, embora tuas deficiências sejam muitas, não precisas perder a esperança, porque a tarefa de renovar a tua vida *foi atribuída a Mim*! Adquire a grande habilidade de resistir ao mal como a *nova pessoa que és* na Minha visão. *Sem esforço*, deixa que Eu te proteja e te dê imunidade contra as pressões mais impetuosas do mal... agradecendo-Me ao fazer isso!

Sê atento e receptivo... e *pratica* as lições aprendidas. Lança-te com coragem, centrado em Mim, e eu garantirei que não vaciles em tua caminhada.

Uma mãe pode esquecer seu filho,
mas Eu não me esquecerei de ti.
(Isaías 49,15)

A volta para Mim.

Não é apenas na ação obstinada e na conversa que podes extraviar-te e afastar-te de Mim. Quero que aprendas a voltar para Mim no âmbito do *pensamento*... que tenhas tanta consciência de Mim a ponto de haver uma perda instintiva da paz quando os teus processos de pensamento te levam para áreas de perigo.

No reino do pensamento, as *sementes* são lançadas para o que pode produzir muito alimento — ou para o que pode ser desastroso. Recusa-te a afastar-te, de modo que possas sempre ouvir o Espírito Santo.

É na área onde o Meu Espírito habita — estimulando o que é bom — que o mal pode tentar desviar-te. Mantém-te alerta a pensamentos que entram em conflito com o amor, com a paciência ou com a confiança naquilo que estou fazendo. Volta, imediatamente, à Minha presença indulgente e acolhedora.

Uma árvore boa não pode dar frutos ruins.
(Mateus 7,18)

Não são apenas os que correm com confiança que ganham a corrida... muitas vezes vencem os que correm devagar, quase tremendo.

Não fiques demasiado ansioso com o teu progresso espiritual. Uma imobilidade aparente aos olhos do mundo muitas vezes esconde um avanço... Mesmo que o progresso pareça lento, agradece-Me por isso... Não te aborreças contigo mesmo, pois aborrecimento implica que o Meu trabalho em ti não está produzindo efeito.

Se desejas ser perfeito, realizarás esse desejo — e os detalhes da jornada serão incluídos no Meu plano para ti.

Os que dizem confiar na Minha grandeza ainda podem pôr-Me à prova de uma maneira tensa ou duvidosa em vez de confiar-se totalmente a Mim. Deixa Comigo o trabalho de preparação constante, a ação de moldar a tua alma para a vida eterna.

Eu rogo por eles...
para que sejam perfeitos.
(João 17, 9 e 23)

Um coração que se aproxima de Mim fará sua oração com confiança cada vez maior...

em Minha alegria no teu pedido;

em Eu te dar o que é certo para ti.

Podes receber a resposta às tuas orações, cada vez mais, à medida que as nossas vontades se unem. Verás claramente o que pode ser teu, aquilo pelo qual estás certo em pedir... tudo dentro do contexto de um coração submisso, livre dos objetivos e ódios mundanos.

Eu te mostrarei pelo *que* e por *quem* rezar; sentirás a minha satisfação em conceder o máximo que podes pedir em teu nome e em nome de outros. Mesmo se a Minha realização dos teus pedidos pode parecer lenta, pelos padrões humanos, o importante é a certeza do que será alcançado. Confia em Mim e agradece-Me!

O vosso Pai que está nos céus
dará coisas boas aos que lhe pedem.
(Mateus 7,11)

O amor no âmago de todas as coisas — mesmo daquelas que te afligem ou que te perturbam na Minha criação... vê tudo o que destoa em contraste com o Meu amor.

Preserva um espaço no teu coração onde o senso do Meu amor se mantém invulnerável aos acontecimentos desta terra. O Meu amor é o amplo espaço de segurança da vida, interpondo-se entre o filho confiante e o poder das trevas em todas as suas manifestações.

Tornar-te-ás cada vez mais sensível ao erro — em tudo o que te rodeia e em ti mesmo. Sentirás esse erro profundamente, onde antes apenas o "observavas". A sensibilidade com relação ao que ofusca a vida leva consigo, também, uma convicção mais profunda sobre o amor que envolve tudo o que experimentas.

Meu filho, agradece-Me por tudo o que contribuiu para a realização desse amor.

Felizes os que não viram e creram.
(João 20,29)

Meu filho, quanto mais compreendes o Meu amor, maior é o grau de cura presente. Sempre que procuras o Meu amor, inicia-se um processo paralelo. Há cura (tanto interna como em teus contatos com o mundo).

O aumento do Meu amor em ti cura toda sensação de insegurança, cura toda sensação de que a vida é algo discrepante, algo a ser temido... Entendes que o amor humano mais profundo não pode chegar a isso. Somente o *Meu* amor pode romper barreiras erguidas para proteger lugares feridos.

Quando as feridas são curadas, a influência do Meu amor afeta todo desejo, todo relacionamento — seja íntimo ou casual. Há cura porque tudo o que poderia criar desarmonia deve recuar na Minha presença. Por isso, visualiza a *luz* da cura dentro de ti.

Nem sempre tens consciência do processo de cura, mas podes ter certeza de que *todo* contato com o Meu amor produz cura permanente.

Eu sou o Senhor que te restaura.
(Êxodo 15,26)

Às vezes parece muito difícil conciliar as circunstâncias da vida com a Minha palavra; Meus conselhos parecem ser apenas um ideal — desfeito pelas realidades da vida. No entanto, quando a Minha palavra é posta em prática (muitas vezes com fé cega, fiel), ela se revela exatamente o que é necessário; ela é a palavra de confiança — tudo o mais é "aparência".

Na Minha Palavra encontram-se todas as qualidades da Minha Divindade... tocas o Meu amor, a Minha sabedoria e o Meu poder. A *Minha* palavra é transformadora, gera esperança — dirigindo-se ao cerne de cada situação; ela sempre se legitima.

Recebendo a Minha palavra, podes examinar calmamente as circunstâncias que produzem agitação ou desespero. Podes elevar-te acima da escuridão que te envolve e sentir o Meu interesse, o Meu controle dos acontecimentos.

Acolhe a Minha palavra — repousa nela, banha-te nela: deixa que ela te eleve, te firme e te traga coragem.

**Passarão o céu e a terra. Minhas
palavras, porém, não passarão.**
(Mateus 24,35)

Não penses que haja uma distinção determinante entre céu e terra. Céu é simplesmente o reino em que a presença que te envolve aqui é sentida de modo mais pleno... A beatitude da *realização*.

Nos reinos celestiais estão as almas cuja familiaridade Comigo começou na terra — como a tua. O céu é a recompensa, não pela perfeição terrena, mas pela *persistência* ao longo do caminho do Espírito, apesar dos atrativos para afastar-se desse caminho.

A paz que ameniza a pungência da dor e do conflito terrenos é a paz do céu vivida *agora*. Quando essa paz é sentida, a terra retrocede, sua oposição temporária é esquecida. Se cresceste na convicção do Meu amor por ti, deixa que ela brilhe como uma luz constante — afetando o restante da tua vida aqui. Posso garantir-te que essa luz brilhará até o dia em que a Minha presença esteja além de todos os argumentos e abraços... *de ti mesmo*.

O Reino de Deus está dentro de vós.
(Lucas 17,21)

Os Meus filhos, procurando ser fortes, quase sempre esquecem que a força está dentro deles e precisa ser usada.

Ao pensar no futuro com suas muitas exigências, seus medos e aborrecimentos, lembra que nesses momentos difíceis, a força do teu Senhor *já está dentro de ti*. Não precisas ficar à mercê dos acontecimentos.

Ser-te-á perfeitamente natural *aproximares-te* de Mim... *imediatamente*... para encontrar coragem, para encontrar um fio de esperança em algum revés arrasador, para encontrar a paz que enfrenta as circunstâncias do momento. Pensa como Eu Me ofendo quando não usas a Minha força; pensa na Minha alegria quando vencemos juntos.

Meu filho, a Minha força poderia ter te ajudado em inúmeras situações que acabaram se transformando em fracasso. Eu precisei te conduzir através de muitos insucessos para entenderes todas as conquistas que podes obter entregando-te ao poder que faz *parte de ti*.

Eu, teu Deus, te tomarei pela tua mão direita.
(Isaías 41,13)

Meu filho, vem...

> Vem... com toda tua sensação de impotência ou
> insegurança...
> Vem... quando te sentes oprimido...
> Vem... para ver tuas necessidades atendidas...
> Vem... simplesmente para deixar que o Meu amor
> te *sustente*...
>
> A visão do Meu amor!...
>
> dissipando o medo;
> dissipando a sensação desnecessária de culpa;
> dissipando toda turbulência do espírito;
> dissipando a solidão;
> dissipando o medo do futuro;
> dissipando o remorso;
> dissipando a tristeza;
> dissipando toda impressão de rejeição;

Não é uma ideia maravilhosa a de que Eu posso atender a qualquer necessidade tua? O segredo é manter a perspectiva do Meu amor!

Eu, Eu mesmo sou aquele que te consola.

(Isaías 51,12)

Cada escolha difícil leva em si uma possibilidade... de crescimento! Ao tentares seguir o Meu caminho, algo da sabedoria divina se desenvolve em ti... A verdadeira sabedoria (diferente do mero "conhecimento") nunca está em conflito com os Meus preceitos.

À medida que segues fervorosamente o Meu caminho, o teu discernimento e a direção que Eu te indico começam a coincidir. A coincidência resulta da fusão dos nossos espíritos... vista em ocasiões de tentação (quando tu *sabes* o que deves fazer) e em momentos de verdadeiro assombro. Seja cada escolha orientada pela força do Meu amor.

Evita tudo o que é inspirado pela obstinação, pela pressa temerosa ou pela desconsideração aos sentimentos dos outros. Evita afastar-te de mim e agir compulsivamente. Cada escolha sensata guiada pelo espírito envolve uma vitória importante que nem sempre podes reconhecer no momento, mas que forma um relacionamento capaz de levar tudo adiante!

... o Espírito da Verdade vos conduzirá à verdade plena.
(João 16,13)

Os graus mais elevados alcançados no desenvolvimento da tua alma podem não ser aqueles que tu, ou possivelmente aqueles ao teu redor, consideras como tais.

As ocasiões de progresso verdadeiro ocorrem quando o padrão da tua vida mais se aproxima do padrão do meu influxo... quando não há nada discordante entre eles. Quando existe essa harmonia entre o teu espírito e o Meu — muitas vezes num cenário mundano "pouco promissor" — então tudo é possível, em ti e através de ti.

Muitos se enganam quanto ao lugar onde a felicidade se encontra. A verdadeira alegria insinua-se em tua alma, inconscientemente, quando existe essa unidade de propósitos; quando o amor, em seu sentido mais profundo e multifacetado, é dominante. Mesmo os que não Me conhecem, e no entanto amam, sentem essa harmonia, até certo ponto, porque essa é uma lei do Meu universo. Para aqueles que Me conhecem e confiam em Mim, porém, trata-se de um estado de grande arrebatamento... que passa uma sensação inigualável de propósito e tranquilidade.

Sede santos, porque Eu sou santo.
(1 Pedro 1,16)

Considera o Meu amor como o ponto de partida... Muita coisa difícil de entender se esclarece quando contemplas todos os fenômenos como motivados pelo amor. Os próprios elementos trágicos da terra, como constataste, podem achar um lugar necessário nos propósitos do amor.

Se vês o amor como ponto de partida, começas a aceitar grande parte do que foi permitido em tua vida. Vê os Meus próprios atributos originando-se no amor universal. Vê o amor como fonte da Minha sabedoria, da Minha paciência e do Meu poder de criar, curar, salvar.

Quando as adversidades da vida ameaçam a tua confiança em Mim, recusa-te resolutamente a abandonar essa confiança. Se lembrares que foi o Meu amor que permitiu o infortúnio, reduzirás a duração da tristeza ou do desgosto; verás então como o amor planeja em meio às adversidades aquilo pelo qual logo expressarás gratidão.

Deus amou tanto o mundo, que...
(João 3,16)

Vive a tua vida ancorado na promessa de que cada obstáculo *já está vencido para ti!*... resultado da onipotência divina. A confiança nessa verdade assegura, automaticamente, a Minha influência vitoriosa.

Não Me magoes pela dúvida, quando a tua vitória em *qualquer* dificuldade está tão próxima... a dúvida de que tudo o que te está prometido é anseio do mal para tua vida. No cerne da dúvida com relação às Minhas promessas está a dúvida com relação a Mim. Não vejas os obstáculos como algo a ser enfrentado... inseguro do resultado... mas como já vencidos, se aceitas o Meu poder e a Minha sabedoria. Com a tua mão segurando a Minha, nada pode interpor-se no teu caminho.

O conhecimento de que sou ativo em tua causa deve continuar dando-te paciência. Ainda deves permitir-Me o espaço onde trabalhar! Se te manténs perto de Mim, nenhuma circunstância é adversa. Sim, podes *aproveitar* situações incertas porque estás aos Meus cuidados.

Eu estou contigo por onde quer que andes.
(Josué 1,9)

Os meus modos de proceder são pacientes. *Precisam* ser. Na Minha criação, muitas coisas precisam manter-se coesas e realizadas de acordo com a Minha sabedoria. Que a *tua* vida seja uma cópia (dentro das tuas limitações) da atividade divina — em sua *certeza*.

O mal obscurece a *verdadeira* condição das coisas — Minha eterna perspectiva que pode ser tua, cada vez mais. Uma visão limitada pode levar-te a uma ação precipitada, à raiva, à insensatez e até à autodestruição.

Muitas coisas são desejáveis, mas não precisas alcançar todas imediatamente. Somente o que Eu aprovo é realmente eficaz... as situações em que demonstras paciência se revelam dignas porque Eu as acompanho e concluo. Deixa que a *Minha* atividade estabeleça limites e ao mesmo tempo ofereça perspectivas atraentes. Nem sempre é possível alcançar "resultados" imediatos!

Deseja a perspectiva *divina*... alcançada por uma vida intimamente envolvida com a Minha.

Para dar fruto,
o ramo deve permanecer na videira.
(João 15,4)

Percebes como um simples evento pode alterar totalmente o padrão da tua vida; o mundo, porém, sabendo disso, persiste em não se voltar para Mim como ponto de apoio e estabilidade. Em Meu amor, persevero querendo minimizar as mudanças inevitáveis e frequentemente dolorosas causadas pela vida.

Uma vida separada de Mim não tem nada quando eventos da terra a atingem inesperadamente. Uma vida que tem a Mim como fundamento tem *tudo*, mesmo quando as afeições da terra definham ou seus desejos se esvaecem.

É em contraste com o imutável — Eu mesmo — que deves construir a vida, que é intrinsecamente mudança. Procurar-Me cedo, quando o mundo está seguro, é sabedoria... no entanto, o Meu amor sempre vai ao encontro de todo apelo desesperado *tardio*, quando tudo parece perdido.

Se a vida é difícil e incerta, não significa que não estás mais no Meu caminho; continuas nesse caminho por causa da tua *confiança*! Alegra-te por Minha existência envolver cada vez mais a tua vida.

Eu sou... a Vida
(João 14,6)

Mesmo quando vives Comigo, dúvidas surgem — levantadas pelos fenômenos do Meu mundo e pelo sofrimento, dissipação e futilidade enormes que sobrecarregam a criação.

Essas dúvidas aumentam, de modo quase insuportável, quando a escuridão encobre a tua vida ou a vida de alguém que amas; podes ficar totalmente incapaz de ver além das trevas.

O sofrimento não faz parte da Minha vontade, mas Eu nunca estou longe dele. Dor e raiva significam sofrimento contido e destrutivo; sofrimento partilhado Comigo significa entrada de luz... uma situação *mudada*, mesmo que "pareça" apenas continuar.

Retirando o bem do caos, *trabalho ativamente* no drama do mundo que alterna luz e trevas. Uso *precisamente esse* tipo de mundo para produzir os dons espirituais da compaixão, da paciência, da coragem e do apreço de Mim mesmo. As únicas qualidades que realmente importam.

Aquele que perseverar até o fim, esse será salvo.
(Mateus 24,13)

Participando da Minha vida, entenderás mais profundamente a complexidade do comportamento humano. A cegueira da terra é consequência da atividade do mal. Com grande frequência os homens agiram movidos pela mentira; se tivessem recorrido a Mim, teriam evitado muitas tragédias.

Recomendei que vejas os outros com o amor que Eu tenho por eles. Agora, ofereço-te também o olhar da *verdade*... Ver a Minha presença ajudar-te-á a ver além do superficial... Tu *compreenderás*... Terás condições de rejeitar atrativos falsos; verás a *inutilidade* que está por trás da raiva que alguém possa ter de ti.

Meu filho, compraze-te vendo a Minha verdade nos fenômenos da vida e resiste a toda pressão a agir, mesmo momentaneamente, contra a verdade que conheces. Sê sensível a todo conflito entre a Minha vontade com relação a ti e os sinais dados pelo mundo, ao te expores, inevitavelmente, a ele.

A verdade vos libertará.
(João 8,32)

Meu filho, aprende a manter a tranquilidade nas circunstâncias adversas, sem angustiar-te quando não há forma de mudá-las.

Assim que percebes que essas circunstâncias operam a teu favor, começas a ter paz. Somente Eu posso fazer isso por ti, e deves ter confiança absoluta (transcendendo as reações humanas naturais) de que *estou* em ação em toda situação que permito.

Quando aceitas o que não pode ser mudado, fortaleces a tua coragem e reforças a tua dependência de Mim. Aprenderás a ser totalmente independente das circunstâncias... e suas oscilações te deixarão incólume.

Lembra sempre que tens o dom inestimável da vida... No Meu amor, repele tudo o que te desgasta. Resiste à pressão contínua do mal com a força que também é incessante!

... para terdes paz em Mim.
(João 16,33)

Tudo te fala do Meu amor; basta escutar com o ouvido do Espírito.

A Minha presença contigo e o Meu amor por ti são as realidades em que repousas... elas envolvem a tua vida. Medita sobre a *indivisibilidade* da criança confiante e do seu Criador. O Meu presente para ti é a sensação da Minha proximidade. Essa sensação deve tocar cada aspecto da tua vida... Vê sempre, em Mim, Aquele que prometeu o que ninguém mais poderia prometer, capaz de transformar essas promessas numa realidade maravilhosa; elas não são fantásticas demais para ser verdadeiras! As Minhas promessas não se perdem por causa das deficiências humanas, desde que, aborrecido por causa destas, Meu caminho seja resolutamente retomado, procurando chegar a Mim para renovação.

Ao início de cada dia, fala-Me sobre a tua intenção de perseverar no caminho que te mostrei. O Meu caminho, aplicado aos *detalhes* desse dia, será cada vez mais claro para ti. Usa tudo o que Eu te dei. Estás confiando nas Minhas promessas? É isso ou nada.

Não Me esquecerei de ti. Eis que te gravei na palma das minhas mãos.
(Isaías 49,16)

Nas situações mais assustadoras da vida, quase sempre te sentirás seguro com um elemento apenas do todo da existência — o Meu amor por ti. Mas ele te será suficiente! Como um filho, permaneces no Meu amor como a única coisa que podes considerar como fato consumado; sim, podes deixar-Me *afagar-te*.

Com a força absorvida em situações sombrias, podes antecipar muitas vitórias. Conserva-te no *resplendor* do Meu amor.

Quando estás atento à influência do mal que ameaça deprimir-te, sabe que ele não consegue seu intento. Quando as coisas vão mal, quando és tentado a duvidar de Mim e da Minha palavra... é então que demonstras confiança *verdadeira*, agarrando-te a Mim. As minhas promessas *devem* realizar-se; essa é a tua estabilidade em meio à incerteza.

Quem senão Eu poderia fazer alguma coisa nas situações em que Meus filhos se encontram?

Sou Eu. Não tenhais medo.
(Marcos 6,50)

Levar a luz para a vida dos outros *deve* ser o teu objetivo... mesmo quando estás pessoalmente desanimado ou fatigado! Sê mais *ousado* no que tentas por Mim... Eu enviarei oportunidades, a ser aproveitadas com espírito de aventura. Não negligencies esse chamado, qualquer que seja o desestímulo ou a hostilidade que enfrentas. Fica à *disposição* por Mim!

Muitos dos Meus que sofrem ou estão perdidos precisam de ti. Como Meu escolhido, Meu instrumento, Eu te fortaleço. O que só consegues fazer com muito esforço, Eu sempre te ajudo, terminando a tua tarefa.

Quero realizar um excelente trabalho através de ti para Meus propósitos particulares. Propicia as condições para que o Meu poder flua por uma vida ordenada e dotada de propósito.

Deixa-me passar-te uma percepção, mais profunda do que o entendimento humano, das necessidades das pessoas. Agradece-Me por Eu ter passado através de ti de algum modo... nem sempre do modo que talvez tenhas antecipado!

A colheita é grande, mas poucos os operários.

(Mateus 9,37)

A tua expressão de amor em Mim dá origem a dois aspectos: primeiro, ela te ajuda a chegar a um senso de proporção sobre os suportes do mundo e sobre suas exigências; segundo, ela libera a provisão do Meu amor, de modo que podes, de modo muito singular, servir-te dela.

Sim, és tentado a fixar tua esperança em muitas outras coisas — mesmo depois da decisão de Me seguir. Deves resolutamente visualizar o lugar de luz — a espera do Meu amor que tudo envolve — como o foco da tua esperança nesta vida.

Por mais preciosas e sustentadoras que sejam as amizades deste mundo, a tua esperança *permanente* deve estar fixada em Mim. Por mais atraentes que sejam as recompensas deste mundo, elas nunca devem enfraquecer essa esperança. A tua caminhada diária se baseia em Mim, não na natureza das tuas circunstâncias, a ser *transformadas* pelo Meu amor.

Cultivarás a certeza diária de que Eu sou o foco de tudo o que mais ansiosamente desejas?

Eu, teu Deus, sou um Deus ciumento.

(Êxodo 20,5)

Muitos veem a Minha vontade como uma realidade estéril, subtraindo do potencial da vida, quase como algo imposto por um inimigo — espoliando a humanidade de uma existência plena. Muitos se afastam de Mim levados por crenças erradas dessa espécie.

Meu filho, mesmo para os mais diletos dos Meus filhos existe normalmente um abismo entre sua própria vontade e a Minha... tornando imperfeito o conhecimento de Mim, como realmente sou. Entende que as áreas em que as nossas vontades se *unem* acionam energias cósmicas e não há limites, literalmente, para o que pode ser alcançado — mesmo dentro das restrições da existência humana. A admirável verdade é que o novo da vida é teu, pela escolha, momento a momento.

Quando aceitas a Minha vontade com amor e humildade, o poder divino domicilia-se em ti. Então, durante esse período de harmonia, tu te tornas uma morada que ocupo *totalmente* e contra a qual nada pode prevalecer!

Anda na Minha presença e sê perfeito.
(Gênesis 17,1)

Sê cuidadoso para discernir a *justa* cólera da indulgência em atitudes agressivas e danosas com relação aos que se opõem a ti ou têm pouco tempo para ti.

A justa cólera deve ser dirigida contra o *mal*... o mal que pode estar por trás das ações dos que te perturbam. Penetrando na essência da situação, podes reconhecer a atividade do mal, que cega e causa destruição, ou auto-destruição. A ameaça do mal é contra *Mim*; podes ficar de lado, sem considerar as agressões como algo pessoal... apenas como tentativas do mal de dificultar o teu trabalho a favor da Minha causa.

É certo ofender-se por tudo o que se opõe ao Meu reino de amor e de paz, e que afasta os Meus filhos do propósito pelo qual Eu os criei. Ver a verdadeira causa dessas coisas é ver outros usando mal seu livre-arbítrio, mas sob uma *pressão definida para agir assim*.

Mostra para com os outros a mesma generosidade, paciência e compreensão que recebeste de Mim.

Sede misericordiosos como o vosso Pai é misericordioso.
(Lucas 6,36)

Para o mundo, a alegria é algo *recebido*... Muitos procuram extrair da vida aquilo que ela parece relutar em dar. É claro que isso acaba seguidamente em desilusão. A felicidade *permanente* só se encontra no caminho estreito Comigo.

Os que olham para os lados e não para Mim dificilmente reconhecem a Minha alegria, que é inseparável do ato de dar... e que se encontra acima de tudo na alegria que Eu mesmo sempre sinto em oferecer os Meus recursos à condição frequentemente lamentável dos Meus filhos; é a alegria que tu sentes em dar, não somente a outros — mas a Mim; é a alegria que está nos afazeres tediosos inevitáveis, quando divididos Comigo.

Percebe a intensidade do Meu consolo quando uma vida abre um espaço para Mim... Que esse conhecimento te habilite a entrar no segredo de toda alegria... simplesmente o oferecimento do que tens para o teu Senhor — e para os Meus filhos.

Meu alimento é fazer a vontade do meu Pai.

(João 4,34)

Vive Comigo nos "lugares celestiais" onde não existe medo, nem pressa, nem aflição do espírito.

Eu sempre respeito a tua permanência junto a Mim; Meus pensamentos imprimem-se em ti; tudo o que Eu sou deve ser *absorvido* por ti. Permanecendo Comigo, recebes a garantia — que deves manter — de que tudo o que Me confias é resolvido.

Sim, imerge em Mim — sem olhar ansiosamente dentro de ti mesmo para ver o que estás te tornando! Mantendo o senso da Minha presença, fica atento a tudo o que te mostro.

Cada dia "útil" tem suas próprias influências tranquilas, quando aprendes a receber a Minha bondade através de tudo o que te rodeia. Lembra que cada momento de oração (por breve que seja), cada olhar dirigido ao céu ou a uma árvore, cada pensamento voltado ao Meu amor... tudo são fatores restauradores... levando a Minha bênção. Regozija-te Comigo e com a Minha criação durante os teus dias repletos de compromissos.

... conduzi-los-á aos mananciais.

(Isaías 49,10)

Meu filho, vês perfeitamente que o mal usa o passado e o futuro para deturpar o presente.

O mal tentará fazer-te "reviver" acontecimentos passados — especialmente agressões em que não houve reconciliação (e mesmo, às vezes, quando *houve*)! Se foste magoado por alguém que desde então passou para a Minha presença, lembra que essa pessoa agora vê a *verdade*; a cegueira específica ou o desatino em que podes ser tentado a fixar-te não existe mais. O mal, como sempre, presenteou-te com uma mentira.

Do mesmo modo, o mal dirá mentiras com relação ao futuro... levando-te a uma apreensão inútil ou talvez à preparação de uma trajetória imprudente. Tudo o que tens é o presente. Usufrui a *serenidade* do presente que, para ti, deve ser sempre preenchido com o Meu amor.

Eu sou... a Verdade.
(João 14,6)

Perceberás muitas vezes que Eu me esqueço de ti, que sou incapaz de ajudar-te ou mesmo que não existo. Do mesmo modo que o mundo material às vezes parece negar a realidade do Meu amor e do Meu espírito, assim a minha falta de intervenção aparente pode te levar a uma conclusão errônea.

Meu filho, seja como for que vejas o teu mérito (ou demérito), seja como for que te sintas, agradece-Me sempre por Eu atender às tuas preces... Ao fazer isso (o que quer que possas ter como "prova"), Meus planos para ti devem ser perfeitos.

Aprende a depender totalmente de Mim — não de estados de espírito vacilantes, nem mesmo das Minhas revelações! Às vezes, quando pareço distante, sabe que a força e a graça recebidas para cada dia são *prova* da minha companhia constante.

Ao confiares em Mim, milagres acontecem em ti; embora o milagre normalmente seja gradual, o tempo está sob as Minhas ordens, e nunca é desperdiçado.

Eu vos carregarei até o fim.
(Isaías 46,4)

O Meu amor deve *sempre* te dar esperança... esperança nascida da convicção a Meu respeito; esperança que ninguém na terra pode te dar. A esperança depositada em Mim, mesmo vacilante, se torna mais do que esperança... Desenvolve-se a certeza da *segurança* que permeia a tua existência... por mais ameaçadores que os eventos transitórios possam ser.

Esperança sem substância é algo lamentável. Mas esperança firmada numa realidade permanente é sensatez... sendo constantemente recompensada.

O teu futuro está sendo preparado continuamente, amorosamente. Eu te desembaraço do emaranhado do mundo material para desenvolver o verdadeiro eu para a vida eterna. Mesmo na fraqueza, Eu te levo adiante... se o *desejo* é constante. Eu espero ansiosamente — como tu — por nosso encontro, um dia... o objetivo dos planos do Meu amor por ti.

Convence-te da Minha *iniciativa* para criar as condições para esse encontro (sem qualquer obstáculo) no reino do Meu amor.

Na casa de Meu Pai há muitas moradas.
(João 14,2)

Não deixes que as desilusões da vida, e a Minha aparente falta de resposta a orações específicas, te levem a duvidar da Minha suficiência absoluta.

Ao mesmo tempo, deves ter em mente o fato de que muitas situações não mudam imediatamente e a confiança de que Eu posso seguramente alcançar todo propósito Meu. Eu não observo os teus conflitos terrenos indiferentemente; Eu os resolverei, e somente permitirei que continuem, como Eu te disse, porque vejo que são basicamente benéficos para ti, por mais difícil que seja aceitares isso agora.

Meu filho, *sabe* que tudo na tua vida que vejo como certo realizar, Eu *posso* realizar. Não dês ouvidos à mentira de que não intervenção aparente significa falta de poder. Eu trabalho incessantemente por ti... por isso, não se perturbe o teu espírito. Lembra-te da confiança em Meu poder de mudar as situações... uma confiança que saberás que não existe em vão.

Os teus medos são infundados.

Eu sou o Alfa e o Ômega,
o Primeiro e o Último.
(Apocalipse 22,13)

A angústia com as próprias falhas leva à remoção dos obstáculos em nosso relacionamento, mas a *persistência* em te condenares (duvidando das Minhas promessas de cura e recuperação) satisfaz o desejo do mal e impede que desfrutes das Minhas promessas. Não assumas o que é tarefa *Minha*... julgando-te e, portanto, vivendo com medo. Deixa que o Meu amor penetre nas regiões mais profundas do teu ser, onde podes te autocondenar quase permanentemente.

Culpa sempre implica perigo; a culpa pode produzir ainda mais o que é errado! Se o teu objetivo mais ardente é agradar-Me, sabe que a culpa asfixiante não procede de Mim. Em nenhum outro lugar a confiança em Minhas promessas é mais importante do que no reino do perdão.

Quando o mal se disfarça como guardião punidor da obediência, posiciona-te Comigo contra ele; deixa-me silenciar todas as outras vozes, menos a que acolhe o amor, se a *Minha* vontade é o teu desejo.

Eu vivifico o coração dos contritos.
(Isaías 57,15)

Meu filho, não tenhas medo... de ser "invadido"... de ser visto em tua fraqueza humana, mas com uma confiança definitiva em Mim. Não penses que essa vulnerabilidade intimidará os outros; antes, ela falará admiravelmente do Meu poder de proteger uma vida humana... a tua!

É na fraqueza e numa atmosfera de *verdade*, e não de atitude espiritual, que Eu posso ser visto.

Às vezes serás recompensado pela percepção dos outros da Minha presença em ti... independentemente das tuas emoções e preocupações. Para encorajar-te, permitirei que outros falem desse reconhecimento — e da ajuda que lhes prestas. Essa é a tua prova de que a disposição de ser Meu servidor é sempre aceita e posta em prática.

O pouco que cabe a ti é ignorar sentimentos instáveis e permanecer concentrado em Mim — pronto para tudo o que Eu desejo, tão ardentemente, dar-te.

Sou glorificado neles.
(João 17,10)

Acumular um tesouro no céu é um *processo contínuo* à medida que valorizas sumamente as coisas do Espírito.

Cada oração feita, amorosamente...

Cada ato consciente...

Cada vitória sobre o ego...

Cadaautoesvaziamentodascoisasfúteisdavidapara criar um espaço para Mim... tudo isso acumula uma herança para ti.

Não é que o bem que fazes na terra "ganha" essa herança... não poderia! É simplesmente que uma lei está sendo cumprida... a lei segundo a qual toda a influência que Eu exerço sobre as tuas ações produz consequências inevitáveis. Talvez não percebas agora o tesouro que te espera, mas ele é guardado para todos os que confiam em Mim.

Meu filho, valoriza — desesperadamente — tudo o que é da verdade, da luz e do amor sacrifical. Assegura a tua herança... e deixa que Meus outros filhos sejam levados ao desejo de compartilhá-la contigo.

Vinde, benditos do meu Pai,...
(Mateus 25,34)

Eu vou adiante de ti em direção aos lugares desconcertantes e quase sempre assustadores da vida.

É tolice ficar apreensivo com o que o futuro reserva.

Nas ocasiões em que tinhas medo, Eu me adiantei... para preparar um caminho para o Meu filho confiante.

Nas ocasiões ainda mais além da tua antecipação, Eu me adiantei... para adaptá-las ao Meu propósito para ti.

Transcendendo o tempo, eu posso estar bem perto de ti *agora*, e ainda assim influenciar o que ainda te espera. Meu filho, a tua confiança ainda está absolutamente depositada em Mim como teu guia? Exulta se assim for, porque estás entre os poucos que encontraram o caminho estreito que leva à vida... Podes percorrê-lo com coragem ainda maior... e com mais alegria ainda!

Eu vos receberei.
(João 14,3)

A certeza do destino da vida, se essa vida é dividida Comigo, te sustentará maravilhosamente todos os dias. A ideia do que aguarda os Meus seguidores tem o poder de manter e estimular... poder que nenhum fator mundano possui.

A comunicação diária Comigo transforma em certeza o que pode ter parecido meramente um desejo ardente.

Lembra que Eu estive no mundo, essencialmente, para estar contigo e conduzir-te através dele ao destino de que falei seguidamente.

Não especules sobre o conteúdo da vida além desta que vives agora; apenas aceita essa continuação como um *fato* e alegra-te que o lugar a que és levado é repleto do Meu amor.

Meu filho, desvia os olhos da estrada, com suas ciladas, e vê a luz acolhedora no final... teu destino é... *Eu mesmo*.

Se não fosse assim, Eu vos teria dito.
(João 14,2)

As muitas contingências da vida procedem de uma criação em andamento; e como descobriste, existem também contingências espirituais. Mesmo com relação aos que não Me aceitam, existe (por causa do Meu amor) uma atitude de proteção. Essa proteção, porém, não pode ser tão ampla como quando Eu sou conscientemente introduzido numa vida como sua esperança principal.

Agradece-Me por Eu continuar a defender-te das influências que causariam grandes danos em teus processos mentais e que, por fim, acabariam destruindo a tua vida. Os instintos de proteção da humanidade são imperfeitos; a Minha proteção é constante, inseparável do Meu amor, não algo a ser "invocado" ou, talvez, removido.

Não verás o Meu poder, mas, antes, o Meu amor, como agente protetor? Nos momentos de grande desgaste, vê o Meu amor como proteção e também como cura do que foi ferido.

Começas a ver como é multifacetada a atividade do Meu amor?

As Minhas ovelhas entrarão e sairão,
e encontrarão pastagem.
(João 10,9)

A fidelidade às Minhas promessas pode transformar, milagrosamente, mesmo a vida mais medrosa.

Atrás de cada promessa, vê o Meu amor todo-envolvente que corta as raízes do medo... sendo o maior medo do homem o da extinção. Quando uma promessa é recebida com entusiasmo, o medo é substituído por uma paz, uma esperança e uma coragem que podem resistir aos infortúnios e desvantagens aparentes.

As promessas são tais que nunca deves desesperar... ancora-te nelas quando tens medo e deixa que a *presença* contida na promessa te ajude. As Minhas promessas são feitas àqueles que, conscientes de sua fraqueza e inconstância, estão determinados quanto à única coisa que importa... seguir-Me.

O homem não consegue ver que quando uma vida tem por fundamento uma promessa divina, as circunstâncias perdem sua capacidade de amedrontar. *Todas* as Minhas promessas serão cumpridas e os medos baseados no mal serão desmascarados em sua falta de fundamento. Meu filho, uma promessa ancorada em teu coração significa que jamais serás ludibriado.

**Eu vos disse essas coisas agora, antes que aconteçam,
para que, quando acontecerem, creiais.**

(João 14,29)

O que Eu te digo com a Minha palavra muito te consola e estimula. Eu sei disso, e não há dúvida a esse respeito. Procura, porém, perceber também que a Minha palavra vai *além* do consolo e do estímulo... de modo a que a sensação de ser temporariamente revivificado não termine aí.

Procura garantir que o amor maior que se acende em ti quando permaneces em Mim se manifeste nos encontros muitas vezes difíceis da vida.

A Minha palavra não tem como objetivo uma experiência passageira da dimensão celestial! O objetivo da Minha palavra é que a dimensão celestial envolva toda a tua vida. A Minha palavra aspira a que a alegria, o autocontrole, o olhar do amor e a tranquilidade absoluta façam parte de ti, se integrem à tua natureza. Meu filho, assegura a *continuidade* da Minha palavra... no contexto da tua vida cotidiana.

**Nem todo aquele que Me diz "Senhor, Senhor"
entrará no Reino dos Céus, mas sim aquele
que pratica a vontade de Meu Pai.**
(Mateus 7,21)

A sensação de continuidade é um dos presentes inestimáveis da vida vivida Comigo.

Encontraste a grande bênção da Minha presença imutável e a grande estabilidade para o teu caráter numa sucessão surpreendente de circunstâncias. Talvez não valorizes plenamente esse fato até, quem sabe, perderes temporariamente a sensação dessa presença durante um período angustiante de dúvida.

A vida pode privar-te de todo apoio familiar e de todas as tuas fontes de sustentação num único instante. Procuras então algum ponto fixo, alguma coisa que se assemelhe ao que antes te sustentava. Procuras em vão até te dares conta de que Eu estou contigo... ainda te amando, ainda te protegendo.

O mundo perde enormemente em termos de identidade e estabilidade se Eu não estou em cada curva da estrada... sabes que quanto mais próximo estás de Mim, mais segura é a tua caminhada!

Eu, teu Senhor, não mudo.
(Malaquias 3,6)

Meu filho, tudo o que Eu permito na tua vida é motivo de agradecimento... És abençoado por saber isso... somente o Meu Espírito pode revelar-te essa verdade. Podes tirar toda vantagem possível das *oportunidades* em cada situação.

A minha sabedoria pode agir sobre o passado, sobre o presente e sobre o futuro... uma sabedoria que nasce do Meu zelo por ti. Deves aprender *rapidamente* a encontrar alegria em Mim em todas as situações. Em momentos de grande incerteza assegura-te *especialmente* da Minha atividade por ti. Podes, portanto, continuar agradecendo-Me indefinidamente... Deixa que o mundo veja em ti a paciência e o contentamento do coração que recorre a Mim para tudo; deixa que ele veja o que a Minha vitória sobre o mal alcançou.

A posse de *Mim*... Nada pelo que o homem luta é digno de estar ao lado da posse de Mim.

Eu sou... a tua recompensa.
(Gênesis 15,1)

Meu filho, entristece-Me a constatação de que o mundo ainda não entende o significado pleno do Meu envolvimento extremo com a experiência humana. Muitos indicadores na Minha criação apontam para Mim, mas nenhum deles é conclusivo. O Meu ingresso no ciclo da história foi tão importante que se transformou na única certeza, não só para a geração da época, mas para todos os Meus filhos desde então.

Todo *verdadeiro* conhecimento do divino, seja qual for sua forma externa, é uma resposta àquela revelação de Deus entre os homens, embora não se recuse um conhecimento parcial a outras áreas da experiência humana.

A certeza foi maravilhosamente despertada naqueles que testemunharam o divino num ambiente terreno, mas isso não é tudo... Mais do que o mistério, a certeza é possível para *todos* os que não viviam por ocasião daquela revelação. Ela é possível quando aquele evento é deliberadamente, e com um senso de assombro, preservado no coração de cada um.

Atrairei todos os homens a Mim.
(João 12,32)

Meu filho, não te deixes abater pelos reveses da vida a ponto de não conseguires recorrer, *imediatamente*, a Mim.

Decepções, grandes aborrecimentos, podem se agravar ilimitadamente — aparentemente além de qualquer possibilidade de ajuda — se esqueces de pedir socorro. Mantém-te tão sintonizado com a Minha presença que *toda* experiência seja dividida Comigo, pedindo socorro antes que a amargura ou o desespero se instalem.

Aprende a ver o Meu amor envolvendo cada agressão; de *algum* modo, o Meu amor está causando aquilo que um dia verás como motivo de agradecimento. Qualquer outra coisa que não a paz não é Minha vontade para ti! Não te afastes daquele caminho conhecido, prosseguindo firmemente em direção às coisas maravilhosas que planejei para ti.

Eu participo de todas as tuas experiências porque te entregaste a Mim. A Minha vitória é absoluta, e tu podes ter certeza de estar te dirigindo para a realização de todas as tuas aspirações espirituais. Meu filho, agradeço-te por teu amor sempre maior por Mim.

Eu animo o espírito dos humildes.

(Isaías 57,15)

Conflito e esforço só demonstram que há *vida* interior. Meu Espírito levando-te adiante! Procurando seguir Meus preceitos, estás no ponto do caminho onde *Eu* quero que estejas... sinal de progresso *verdadeiro*, não importando o que tu, ou outros, possas julgar.

Faz parte da estratégia do mal insuflar o desânimo, vendo em tuas deficiências um recuo na vida espiritual, cego às tuas vitórias obtidas Comigo. A tua confiança ainda está em Mim? Então mantém *igualmente* a certeza de que essas são ocasiões de grande ganho.

Meu filho, a tua dúvida quanto ao teu progresso é dúvida quanto a Mim. Mesmo um pequeno progresso mostra que Meus propósitos estão se realizando. Estás aprendendo as lições da vida e descobrindo que, Comigo, a luta é vitoriosa. Desfrutarás uma nova qualidade de vida ao acreditar em tudo o que tenho feito em ti. Tudo o que precisas para uma nova vida *já é teu*.

Não pelo poder, não pela força, mas sim por Meu espírito.
(Zacarias 4,6)

Meu filho, os relacionamentos degeneram quando *ambos* os envolvidos dizem ou fazem algo que gera um desconforto permanente. Enquanto *te* mostras prudente e confias em Mim, a possibilidade de mudança provém da *tua própria prudência* e reflexão sobre Mim! O desconforto então se desfaz mais rapidamente.

Eu só posso criar amor e harmonia onde recebo *permissão* para fazer isso... à medida que evitas os bloqueios da recriminação estéril, da controvérsia e da intrusão do ego "ressentido", e que rezas e me deixas trabalhar sobre a situação.

Sabes que o caminho do amor pode ser difícil... mas não tão difícil como quando te *afastas* dele! O poder do Meu amor, quando tem *permissão* para trabalhar, é o grande aglutinante de mal-entendidos e inclusive de ódios profundos. Ah, o mundo (por causa da sua indiferença a Mim), ainda precisa descobrir o quanto a influência do Meu amor pode realizar.

Orai pelos que vos maltratam.
(Mateus 5,44)

Para manter firme a tua confiança na Minha palavra, pensa n'Aquele que a pronuncia... cujas mãos conduziram a tua vida com segurança. Acolhe essa palavra, pois ela afeta cada aspecto da tua vida, sabendo que a Minha natureza e a verdade que tornei conhecida são imutáveis. Medita sobre a Minha palavra ainda mais intensamente!

A Minha palavra, com todas as suas promessas, dirige-se a cada coração que o orgulho ou a obstinação não fecharam. Onde vejo um espírito de aceitação, Eu possibilito que a riqueza prometida seja reivindicada.

Esta existência tem uma *alma*, por isso a Minha palavra é uma palavra viva de que te aproximas, ansioso por ser alimentado. A Minha palavra te conduz imediatamente ao reino divino de paz e paciência.

Se a Minha palavra vive em ti e se expressa no teu modo de viver, o Meu ser vitorioso e o teu se identificam com a maior intensidade possível.

A Minha palavra cumpre a Minha vontade.
(Isaías 55,11)

No âmago de toda existência existe uma lei natural. Sob essa lei, o amor e a persistência atraem a si as recompensas divinas. Embora as Minhas recompensas possam parecer morosas por conta das limitações do mundo, elas são *certas* e, quando realizadas, sua duração é infinita.

Não penses que atos de bondade, ou de restrição amorosa, se percam... eles atraem a si algo da eternidade!

Percebes agora, Meu filho, que a recompensa essencial sou *Eu*. Depois de conquistar-Me, o resultado será bem-aventurança e iluminação. Existe sempre um antegozo, no presente, daquilo que te espera; ele não te tira do presente nem torna o presente irreal... ele *enriquece* o presente.

Eu decretei o fim derradeiro do sofrimento humano. O sofrimento se transformará de fato numa alegria eterna. Eleva frequentemente teu coração a Mim — expressando a confiança que esteve aumentando, constantemente, em ti. Lembra que o teu destino está definido.

Muito bem, servo bom e fiel.
(Mateus 25,21)

Todos os presentes da vida, ajudando a tornar suportável uma estrada quase sempre dolorosa, podem ser atribuídos a *Mim*.

Meus filhos que não Me conhecem encontram satisfações que não contêm o elemento essencial de Mim mesmo... satisfações transitórias que no fim aumentam ainda mais o peso do lado sombrio da vida.

O que procede de Mim, ao teu redor, é ilimitado, bastando apenas ser *reconhecido*.

Não considerando tudo o que na natureza em si sustenta, existe a profunda satisfação da amizade e da dedicação humanas — dadas e recebidas — a paz maravilhosa quando relações duradouras se restabelecem depois do perdão, todo riso inocente, todas tarefas que trazem um sentido de propósito e realização. Há muita coisa que Eu posso compartilhar contigo porque *já faço parte* dessa experiência... da sua origem!

... a fim de que tenham em si Minha plena alegria.

(João 17,13)

Dar testemunho de Mim é essencialmente muito simples; é um ato que está além da eloquência e além da persuasão. O mundo reconhecerá imediatamente o teu sentimento de *gratidão* por seres resgatado da futilidade e das quedas constantes; reconhecerá rapidamente, sem dúvida, o Meu amor em ti!

Todas essas coisas, culminando no teu excelso agradecimento a Mim — penetrarão no coração dos outros... eles reconhecerão a *presença* d'Aquele que deu tudo para infundir novamente a esperança nos homens. O que é novo na tua vida e o uso que faço de ti constituem um todo natural.

Os que vivem sem Mim perceberão imediatamente o teu débito para Comigo e estarão prontos (mesmo que vacilando inicialmente) a descobrir o que Eu posso fazer por *eles*.

Deixa tuas *palavras* simples falarem de Mim, pois Eu te dou a oportunidade. Deixa também *o que não é dito* (o teu amor e o teu coração agradecido a Mim) glorificar o Meu nome.

Vai para tua casa e para os teus e anuncia-lhes tudo o que fez por ti o Senhor.
(Marcos 5,19)

Meu filho, sobe Comigo os degraus que levam ao lugar de glória... degraus feitos de terrenos pedregosos que encontras — degraus sobre os quais Eu construo um campo de vitória para ti.

Assegura-te de que o processo de subida seja contínuo.

Onde coragem foi obtida, *usa-a*.

Onde sabedoria foi obtida, *usa-a*.

Meu filho, a *consolidação* é de suma importância na tua peregrinação, com os lugares sombrios oferecendo oportunidades maravilhosas. Grandes coisas são feitas em ti ao atravessares esses lugares Comigo.

Agarra-te aos teus ganhos... busca infinitamente mais... em vez de ter medo de perder o que tens! Percebe o *quanto* perdes sempre que ficas parado ou entregas desnecessariamente vitórias, no chamado para ser Meu escolhido, essencialmente *para o alto*.

Fazei para vós um tesouro inesgotável no céu.
(Lucas 12,33)

Fará toda a diferença — especialmente em crises inesperadas — se aprenderes a Me ver acompanhando-te, sustentando-te... A Minha *luz* à tua volta no caminho!

Às vezes o esforço de um passo a mais parecerá impossível; recuarás diante do que está à frente. Nesses momentos, habitua-te a afirmar que Eu estou contigo. *Aprecia* a gloriosa suficiência da Minha presença. Deixa que teu Companheiro te incentive a prosseguir... não te deixando sozinho por um instante sequer! Quando a coragem esmorece e te sentes impelido a agir antevendo a derrota, volta-te para a luz do amor e prossegue.

A realização das tuas esperanças espirituais seria impossível sem Mim, evidentemente. *Comigo*, podes sentir o júbilo de superar os obstáculos e todas as decepções da terra. Caminha Comigo... percorrendo a trilha que *somente* Eu conheço.

Eis que estou convosco todos os dias.
(Mateus 28,20)

Meu filho, muita coisa é oferecida... e muita coisa não é usada! O que é oferecido é muito mais do que um padrão a alcançar; muitos desanimaram diante desse conceito inadequado da vida Comigo. É triste que a vida vivida Comigo seja apresentada de forma tão trivial, sem mostrar a riqueza que deixaria a pessoa ansiosa por possuí-la.

O dom supremo oferecido é o de ser capaz de viver do amor divino... Todas as qualidades da alma necessárias para essa vida constante Comigo são propiciadas quando uma vida Me convida a entrar. Cada dia é uma oportunidade única para viver com proveito e alegria.

Eu próprio sou a personificação de todas as esperanças apresentadas a este mundo. Livre-se dos fardos do espírito, seja livre para interessar-se verdadeiramente pelos outros, para propagar a Minha lei do amor.

Meu filho, és abençoado por Me conheceres através da Minha palavra dirigida a ti!

Ao achar uma pérola de grande valor,
ele foi e vendeu tudo para comprá-la.
(Mateus 13,46)

Descobriste que podes te manter calmo quando tens muita coisa a fazer e que podes irritar-te e sobrecarregar-te quando és pouco solicitado! Tudo depende do grau de harmonia Comigo. Sê fiel nas coisas importantes — sem nenhum alvoroço além do razoável... apenas o teu dever do momento.

Eu Me torno dependente da tua fé e do teu interesse por outros no nível humano. Mesmo quando muita coisa é incerta ou ameaçadora, sabe que és muito usado — porque Eu te amoldo. Quando dás aos outros, Eu te *reabasteço*... é por isso que tens uma sensação de renovação e refrigério depois que atendo às necessidades de alguém através de ti.

Deixa que Eu desenvolva em ti o dom de *arrebatar* outros — simplesmente com a tua presença. Cultiva a *vontade* de mostrar amor... mesmo nos momentos em que o teu coração pode estar confrangido.

Tu és Meu servo em quem Me gloriarei.
(Isaías 49,3)

Procura *dar* mais e também *receber* mais!

Alegra-te em saber que muitos receberão a Mim através de ti. Permanecendo conscientemente no Meu amor, podes ser uma fonte de alegria, de confiança e de paz para os que te são próximos. É com o *Meu* amor que amarás os outros; é esse mesmo amor que, do teu coração, retorna a Mim!

Podes ter certeza de que cada contato é proveitoso e positivo; a *quantidade* não é importante. Tentar em excesso implica perigo, e o que é feito por Mim se torna difícil e penoso; é por isso que é tão importante receber...

Os momentos para extrair as coisas boas da vida (como de Mim), os momentos para louvar-Me e te regozijares em Mim, são tão agradáveis a Mim quanto o teu serviço. Sim, preenche a tua vida dando e também recebendo... dissipado todo medo.

Eu te farei brilhar para que o mundo veja.

(Isaías 49,6)

Uma disposição de espírito otimista pode rapidamente dissipar-se se o mundo é tudo o que tens! O realismo — especialmente à medida que os anos passam — apavora muitos, ou a resignação de que a felicidade passada pode não voltar mais.

Meu filho, é a perspectiva do futuro que introduz o elemento da vibração numa relação crescente Comigo... Mesmo com o passar dos anos, cada interesse, cada desejo ainda pode ser motivo de entusiasmo.

Para o descrente, isto pode ser ilógico, mas onde uma vida tem a Mim como seu fundamento, há uma consciência de que toda ação de valor empreendida leva em si uma sensação de permanência.

A quantidade de tempo que resta para uma vida não importa... porque tudo o que começa, em qualquer etapa, será visto como parte de um processo contínuo.

O Senhor, teu Deus, será a tua luz para sempre.
(Isaías 60,19)

Tudo o que procede de Mim procede do reino da luz... a luz da Minha Pessoa, pela qual tu vês, mais facilmente, os enganos do mundo, suas seduções, sua superficialidade, sua autossuficiência vã. Por essa luz vês o Meu amor florescendo em muitos corações; vês o paciente desdobramento do processo criativo; vês as qualidades da alma (que jamais se extinguirão) em tantos dos Meus filhos.

Meu filho, as trevas enganam com promessas falsas, prontas para te desviarem do Meu caminho... mas a luz está sempre presente quando te voltas decididamente para ela, a luz do Meu amor por ti.

Deixa que a Minha luz brilhe sobre os desafios inesperados ou previsíveis. Para mudar o "tom" de cada circunstância, deixa que a luz do Meu amor brilhe sobre ela. Exclui o que é das trevas com o olhar resoluto para a fonte de luz... teu Amigo que está tão perto de ti.

Acreditai na luz.
(João 12,35)

Somente quando chegas a compreender, profundamente, a Minha responsabilidade por ti é que começas a deixar de preocupar-te, de várias maneiras, com o ego. Podes empregar boa parte da energia da tua mente na busca de objetivos que têm o ego no centro, energia que se escoa na inquietação com as necessidades materiais e mesmo com o que podes ou não estar conseguindo para Mim!

Desembaraça-te de esforços vãos relacionados com a satisfação de necessidades pessoais, com a conquista de *status*, com a garantia dos resultados.

Mudanças vitais ocorrem quando refletes sobre a Minha responsabilidade constante e permanente por ti. Sentirás um grande alívio... permitindo que a Minha influência atue de modos infinitamente mais eficazes. A paz se instalará em ti e o amor fluirá de ti... E não mais de modo intermitente!

As aves, que não semeiam, são
alimentadas por vosso Pai celeste.
(Mateus 6,26)

Meu filho, quero que pratiques a tua sabedoria, concedida por Mim. Falhas Comigo sempre que dás ouvidos a outras vozes. A influência da tua sabedoria sobre o curso da tua vida e sobre a vida dos que te são próximos deve ser totalmente permitida, enquanto te manténs perto de Mim.

Onde há realmente incerteza, quero que tu, mais do que nunca, contes com a sabedoria divina. Eu não posso errar. Os fios da tua vida são entrelaçados por Mim com o que é compatível com o teu destino eterno.

Em situações confusas, volta o teu olhar para a Minha sabedoria, para que possas conhecer a paz. O teu olhar Me revela a fé que tens de que Eu conheço perfeitamente o curso que a tua vida deve tomar e os momentos exatos da Minha perfeita intervenção por ti.

Quando cultivas uma atitude de confiança e aceitação, nada do que desrespeita a sabedoria divina se manterá, no longo prazo, em tuas circunstâncias.

**O Espírito Santo receberá do que
é Meu e vos anunciará.**
(João 16,14)

Meu filho, é possível que às vezes te surpreendas usando o termo "admirável" ao te dirigires a Mim... expresso com uma liberdade e uma convicção cada vez maiores.

Esse é um louvor autêntico... não necessariamente aos olhos do homem, mas que expressa o arrebatamento do teu coração diante de tudo o que tenho feito por ti — e do que percebes que posso *ser* para ti.

"Admirável" é a tentativa de expressar aquilo que deixa os homens sem palavras... o amor, o provimento e a sensação de segurança encontrados na confiança depositada em Mim. A tua verbalização da palavra para Mim Me diz que estás te juntando aos que, através dos tempos, sentiram exatamente isso no que diz respeito a Mim.

O fato de dirigires essa palavra a Mim é como uma confirmação em teu coração (ao qual muitas vezes, em tempos difíceis, deves recorrer) de que fizeste a escolha mais sensata que é possível fazer!

A quem Me haveis de comparar?
(Isaías 40,25)

Nunca subestimes o *poder* liberado por tuas orações — mesmo aquelas ditas de modo acabrunhado mais do que confiante! Isso sempre te ajudará a ter paciência.

Assume *todas* as tuas obrigações com devoção e serenidade, sabendo que a Minha influência as acompanha incessantemente; isso significará estabilidade em tua vida, pois tomas consciência da nossa *parceria*.

Percebe a relação direta entre poder e paciência. Há desarmonia no uso que faço de ti se queres ver, ou forçar, o resultado direto dos teus esforços. Quando Eu te digo para "relaxar e confiar", essa orientação *sempre* inclui a oração; Meu amor dominante; convidando-*Me* a participar de cada problema.

Lembra-te frequentemente da atividade divina *constante* que acompanha a tua devoção a Mim, a entrega de ti mesmo a Mim. Realmente, sem Mim nada podes fazer.

Pedi e vos será dado.

(Mateus 7,7)

Na engenhosidade e nas realizações da humanidade podes ver o uso do que outorguei à natureza humana... criatividade, discernimento, perspicácia e a aplicação do conhecimento para o progresso de outros.

Somente aqueles que vivem a vida Comigo têm *também* consciência das tentativas constantes do mal de frustrar as esperanças, sonhos e esforços dos homens.

Grande parte do que poderia imbuir o Meu mundo de graças divinas é desviada dos seus objetivos. Grande parte do que beneficiaria a humanidade pode lamentavelmente perder-se quando *não* se reconhece a influência do mal.

Somente a parceria Comigo pode evitar a ruína dos bons projetos da vida. Somente a parceria Comigo pode *reverter* o processo... e produzir coisas admiráveis a partir das aparentes deficiências da terra!

O príncipe deste mundo será lançado fora.
(João 12,31)

Aprende a dar descanso ao teu espírito *onde te encontras*. Muitas vezes não podes estar onde ficas livre das exigências sempre recorrentes. Mas *podes* encontrar descanso imediato do espírito, Comigo, em qualquer ambiente. Volta-te para o Amigo que *já está* contigo, ansioso para oferecer-te uma preciosa sensação de quietude, impossível de ser proporcionada por outros agentes.

Meu filho, tu sabes que Eu e Meu Pai somos um... É a essa *Paternidade* amorosa que te diriges; deixa todas as preocupações se dissiparem.

O Meu mundo precisa muito dos que têm serenidade de espírito e que podem levar a Minha influência para as complexidades da vida e seus desvarios. Sereno no Espírito... o qual se revela nos atributos pelos quais o mundo saberá que, realmente, és Meu discípulo. Sim, descansa em Mim e *dá*-Me o teu amor, a tua confiança, tudo o que está em ti.

Todos que tendes sede... vinde e bebei!
(Isaías 55,1)

Aproximar-se da Minha palavra *sempre* significa uma nova situação. Uma mudança se processa em ti sempre que o poder da Minha palavra pode completar seu curso.

Nunca deves esquecer o recurso a que tens acesso imediato mesmo quando, num lugar tenebroso, te deparas com dúvidas a Meu respeito ou com uma indisposição temporária de Me procurar. A pretensão do mal é consistente: criar um abismo entre nós. O mal sabe que sempre que estou autorizado, como agora, a falar através do Meu Espírito, o início do elemento-mudança em ti acabará transformando radicalmente a situação em que te encontras. Mantém tua esperança viva agradecendo-Me por Eu poder fazer todas as coisas.

A presença da Minha palavra em ti garante uma influência sobre tudo o que envolve outros em tua vida.

Nunca é mais necessário te nutrires da Minha palavra do que quando é forte a tentação da prostração espiritual.

Escutar a Palavra, acolhê-la e
produzir muito fruto.
(Marcos 4,20)

Somente um filho Meu verdadeiro conhece a *solidão* inerente ao fato de Me seguir.

Às vezes, o Meu chamado parece isolar-te até daqueles que te são mais caros e que só almejam a tua felicidade. A busca da Minha vontade provocará frequentes mal-entendidos; haverá escolhas penosas entre seguir o Meu caminho e um caminho (aparentemente inócuo) que seja da preferência dos que convivem contigo.

Somente um filho Meu verdadeiro pode entrar na Minha solidão quando vista na terra. Mas isso não é tudo.

A solidão e a incompreensão só serviram para *aumentar* a Minha consciência da presença do Pai. Na solidão, Eu estarei irradiando, na tua vida, a esperança serena que fala claramente da Minha presença contigo. Eu serei glorificado em tua vida, cada vez mais.

É do agrado do vosso Pai
dar-vos o Reino.
(Lucas 12,32)

A presença do Meu Espírito em ti significa que algo do conflito universal presente na Minha criação se reproduz também na tua vida. Quando o conflito é violento, quando a caminhada de paz e alegria é confrontada, vê nisso o desafio perpétuo do mal à Minha causa.

Em vez de te deixares abater, de aceitar estoicamente um fracasso como inevitável, eleva os olhos ao Senhor vitorioso contra quem o desafio do mal está fadado à derrota.

Quando *usas* com confiança o que Eu te dou, o mal é impotente contra ti... pensa na tua *inexpugnabilidade*!

Vê a vitória definitiva da Minha causa, na criação, como a vitória que é possível também em tua própria vida. Isso te ajudará a perceber que tudo o que é das trevas está sujeito à *conquista* — e destinado, em ti, a ser posto em fuga... do mesmo modo que é absolutamente certo que será derrotado no Meu universo.

Pai, eu lhes dei a glória que Me deste.
(João 17,22)

Meu filho, pede a graça que precisas para escolher o Meu caminho. Ficas então inserido no *ciclo* da Minha graça:

A graça que te ajuda a fazer as escolhas certas;

O teu esforço e determinação conscientes; a graça que preenche e plenifica.

Perderes-te cada vez mais em Mim pode implicar sacrifício — mas lembra que o caminho para o Meu Reino é reto. Deve haver uma *decisão*, inflamada pelo pensamento do Meu amor e da Minha vitória, de abandonar os velhos modos de vida; Eu não deixo nenhum vazio! Tens tudo o que precisas para mudar. Estás sendo conduzido ao conhecimento de Mim com clareza cada vez maior.

O fim está assegurado... mas Eu quero que entres no palco da vitória *agora*... uma vitória que sempre traz a *paz* da conquista.

Bem-aventurados os que têm fome e sede de justiça.
(Mateus 5,6)

Meu filho, Eu te disse para nunca duvidar da Minha misericórdia. O perdão emana de Mim porque os Meus propósitos são essencialmente voltados ao futuro.

O Meu amor destina o pecado, havendo arrependimento, para o lugar onde ele jamais pode, por um momento sequer, dificultar os Meus propósitos, nem os teus. Vejo o teu remorso *apenas* removendo barreiras temporárias entre nós, e recuperando-te.

Todo o meu interesse está em que aprendas as lições dos fracassos e da confiança inadequada, e então que olhes Comigo para o *futuro*... tudo o que importa.

O teu desgosto, a tua amargura, a tua autopiedade, a tua decepção contigo mesmo devem ser relegados ao passado, impedidos de existir no presente. Pensa, em vez, como é diminuto o período de tempo em que as imperfeições da vida existem; compara esse período com a eternidade em que desenvolverás, com o Meu amor, o tu essencial — a alma infinitamente preciosa para Mim.

**Vou perdoar sua culpa e não Me
lembrarei mais do seu pecado.**
(Jeremias 31,34)

A natureza humana tende a não deixar que a Minha luz penetre em áreas de escuridão interna.

Enquanto te prendes a hábitos que são manifestações do velho ego ainda não redimido, a luz que falaria ao mundo a respeito de ti como posse Minha fica obscurecida. Às vezes pode ser doloroso deixar a luz entrar — o ego não redimido reluta em entregar aquilo em que ele encontrou erroneamente segurança.

Adquire o hábito, primeiro, de olhar sem medo — e ansiosamente — para a Minha luz. Depois, entrega-te totalmente ao processo de iluminação — vendo o que precisa desesperadamente ser eliminado, de modo que a luz divina possa preponderar em ti. Permite-Me iluminar *a tua vida toda.*

Meu filho, não tenhas medo de desfazer-te de hábitos que praticas como fontes falsas de sustentação; em lugar delas, deixa que a Minha presença sustentadora te dê suporte.

Se a tua mão direita agride, corta-a.

(Mateus 5,30)

Procura conhecer a *verdadeira* natureza da alegria.

Não penses que deves buscar a euforia, sempre passageira, que está ligada à gratificação dos sentidos ou à concretização de algum plano terreno. Essas coisas são *ciladas* para ti.

A Minha ordem de que deves viver com alegria significa que o *tudo* que procede de Mim, qualquer que seja a fonte, se torna alimento do espírito.

A qualidade da alegria encontrada em Mim — e, naturalmente, em expressar-Me — tem permanência.

Onde há esperança, onde há abnegação, onde a preocupação pelo próximo prevalece sobre o ego, a alegria não precisa ser almejada; ela se torna parte de ti!

O vosso coração se alegrará.
(João 16,22)

Meu filho, procura entender a natureza *ilimitada* do que Eu tenho reservado para ti... tão ilimitada quanto o é o Meu amor. Observando o teu padrão de vida atual, o ambiente em que procuras confiar em Minha palavra, não penses que as Minhas promessas são irreais ou que estão em conflito com a razão. A realização antecipada dessas promessas está em *tuas* mãos.

Tudo o que Eu te dei como objeto de esperança foi com o pleno conhecimento da ação divina. A esperança, para ti, está na Minha ação de entremear os complexos fios da vida numa área de ordem e completude. Embora possas refletir muitas vezes sobre as tuas fraquezas, quero que também te infundas do amor e da gratidão pelo fato de que *tudo* o que prometi aos Meus filhos se realizará.

O teu novo modo de viver mostrará que confias na esperança que te foi dada; mostrará que não estás dando ouvidos à voz da dúvida (baseado na tua experiência de fracasso do passado), mas à voz da verdade. Terá a maravilhosa verdade sobre esse novo modo de viver *realmente* começado a manifestar-se em ti? Lembra-te da Minha palavra de que tudo o que te peço está ao teu alcance!

Meu povo se saciará com Meus bens.

(Jeremias 31,14)

Estás cumprindo a minha exigência frequentemente repetida de Me deixar trabalhar?

Muitos projetos se tornam imperfeitos, e acabam fracassando, quando a Minha influência fica restringida. O que limita a Minha influência é a crença básica de que Eu não a estou exercendo.

Quantas vezes preciso repetir que o Meu amor por ti Me impôs a obrigação de guiar-te pelas dificuldades da vida de um modo que é para o teu bem maior?

Detém-te com frequência para perguntar a ti mesmo, em meio a exigências prementes, se estás me dando a *liberdade* de te ajudar; pergunta-te se estás confiando no poder das tuas orações a teu favor e também a favor dos outros.

Quanto mais a tua vida refletir a Minha certeza, mais perfeitos serão os projetos que começam contigo.

Meu Pai trabalha até agora e Eu também trabalho.
(João 5,17)

Quando alguém é ofendido e a culpa recai sobre ti, descobres que muito pouca coisa pode ser feita imediatamente... justificativas ou raiva só parecem piorar a situação.

No Meu conhecimento íntimo dos fatores envolvidos, deves levar o caso imediatamente a Mim. Por obrigação, pede perdão por tudo o que Eu vejo ter sido errado ou causador de tua parte. Com confiança absoluta, entrega o coração da pessoa ou pessoas a Mim... confiando na vitória da Minha boa influência sobre o mal sempre que orações são feitas.

Entrega as circunstâncias a Mim para que Eu possa extrair delas o bem. Agradece-me por Eu fazer isso! Deixa-me afastar sentimentos confusos e a pressão para "acertar as coisas". Deixa que o Meu amor e aprovação alimentem o teu espírito.

Abre-te para as Minhas sugestões quanto ao que podes fazer, com sabedoria e graça, sabendo que, já, Minha influência se estendeu para todos os envolvidos... inclusive tu.

Eu escutarei as vossas preces.

(Jeremias 29,12)

Somente quando inicias com sinceridade a caminhada da vida Comigo é que percebes a necessidade imperativa de te manteres muito próximo do que descrevi como Meu caminho estreito.

Descobres o que o caminho estreito *não* é: um caminho de restrição por natureza. O mal-estar que sentes ao te afastares, momentaneamente, desse caminho mostra que qualquer afastamento abre a porta para uma incursão devastadora do mal.

Assim, vês o que o caminho estreito *é*: é o caminho em que a nossa *unidade* permanece totalmente intacta, com todo o poder conferido a ti como consequência. É o caminho de serviço e de quietude.

Teu ardente desejo de permanecer no Meu caminho significa que haverá sempre uma voz admoestadora dando-te a oportunidade de evitar o perigo.

Largo é o caminho que conduz à perdição.
(Mateus 7,13)

Muitos se extraviaram de Mim em nome da "religião". Meu filho, Eu quero que o teu desejo de Mim tenha aquela qualidade quase desesperada, que a tua confiança na Minha palavra tenha aquela mesma qualidade, que a tua reverência por Minha pessoa não inclua concessões.

Na Minha Igreja, infelizmente, há muitos estímulos — inspirados pelo mal — a contentar-se com um confortável ceticismo, a viver segundo os padrões do mundo.

No Meu Corpo, Meus outros filhos *necessitam* de ti; aqui receberás de outros cujas vidas estão centradas em Mim. Mantém essa atitude de reverência e veneração para Comigo — partilhando-a com outros.

Que não haja meias medidas. Podes ter certeza de que Meu Corpo de crentes será fortalecido mais do que podes imaginar pelo teu zelo por Mim, onde estás.

Perde-te no amor, na veneração e na confiança!

Que pensais realmente a respeito do Cristo?
(Mateus 22,42)

Meu filho, é fundamental prestar atenção às *ações*.

Não penses que o novo da vida te é impossível porque, às vezes, és levado pela corrente de pensamentos sombrios, ressentidos, faltos de amor. Por ser constante a pressão do mal, esses pensamentos fatalmente ocorrem; recusa-te decididamente a te identificares com eles, afastando-os imediatamente.

Recusa-te a praticar qualquer *ação* que prejudique os outros — palavras ou atos que te dou a habilidade instintiva de reconhecer, separando-te deles, na Minha força. Essa atitude se tornará como uma segunda natureza em ti.

Sim, Meu filho, apesar dos conflitos internos, é possível afastar-te, alegremente, de qualquer *comprometimento* externo com coisas alheias ao Meu Espírito.

Luta e vence... por Meu amor.

Vai-te, Satanás!
(Mateus 4,10)

Meu filho, lembra que o Meu amor não é afetado pelas tuas deficiências e fraquezas. Viste como esse princípio opera quando há amor no nível humano. No nível humano, porém, a paciência pode acabar se esgotando e o amor morrendo.

É importante que tenhas sempre em mente a *constância* do Meu amor... não para negligenciar o erro na tua vida, mas para que nunca, em nenhuma circunstância, penses que és impedido de entrar em comunhão Comigo. Vê todas as promessas divinas de misericórdia consubstanciadas em Mim. É porque tua confiança responsiva e a interação de nossos espíritos significam tanto para Mim que podes depender da constância do amor.

Deixa Meu amor arder dentro de ti em níveis progressivamente mais profundos... causando, primeiro, uma ofensa cada vez menor para Mim; e, segundo, uma compreensão para com os que estão ao teu redor que (em menor proporção) reflete a Minha própria compreensão para contigo.

Partiu, então, e o abraçou.
(Lucas 15,20)

Mesmo na tristeza, deves ver o Meu mundo como um mundo que pode *dar*-te.

Os fatores de beleza, com poder de edificar, não perdem sua energia quando a vida se torna sombria.

Ao permitires que o Meu amor cure o espírito nos infortúnios quase insuportáveis da vida, deixa também que ele chegue a ti através dos aspectos intocados da Minha criação.

Deixa que a beleza da natureza se misture com a melancolia; deixa muitas coisas que podes ter apreciado quando a vida era relativamente boa *ainda* fazer sua parte em levar a Minha presença fortalecedora.

Deixa que a beleza da natureza e todas as suas dádivas te transmitam a eterna mensagem de esperança... a vida a desfrutar Comigo quando a atual escuridão tiver passado.

Estabelecerei um caminho no deserto,
e rios em lugares ermos.
(Isaías 43,19)

Passarás de uma vida de escassez para uma vida de abundância... ao desenvolver uma pura dependência de Mim. Eu antevi essa mudança no momento em que o teu coração foi iluminado com a convicção de que Eu era a única resposta para a tua necessidade.

Eu entrei no teu coração porque, apesar das áreas inevitáveis de rebelião, Eu vi uma consciência crescente de necessidade, o teu reconhecimento de que Eu podia supri-la. Eu antevi a tua busca sincera... e por fim a tua relação Comigo; Eu precisei quebrar o elemento de obstinação para que Me permitisses moldar as circunstâncias da tua vida.

O plano para a tua vida, como bem sabes, é realizado na Minha força. Resignação *prazerosa* à Minha vontade é a base para um verdadeiro progresso espiritual... e para aquelas insinuações da Minha presença que devem seguir-se. Alegra-te por Minha escolha de ti ter sido com conhecimento prévio de por fim chegares ao lugar preparado para ti em Meu Reino.

Com amor eterno te amei,
por isso com benignidade te atraí.
(Jeremias 31,3)

Se nunca sentiste uma dor em teu espírito, se nunca derramaste uma lágrima interior, não entraste na Minha consciência do sofrimento da vida.

Por vezes o mundo tem suas cruéis descrições para os aflitos, mas anseio e tristeza são *naturais* em tua percepção do que a vida pode ser, e do que é, na realidade.

Participar da Minha existência não significa um otimismo frágil, falto de sensibilidade; significa chorar Comigo por causa do Meu mundo.

Essa tristeza encontra um lugar junto aos momentos de alegria e esperança que inevitavelmente acompanham o teu reconhecimento da Minha atuação na tua vida.

A tristeza encheu vossos corações.
(João 16,6)

Meu filho, *usa*-Me... usa-Me para subjugar tudo o que prejudica uma vida (no Meu amor) de paz, confiança, alegria e serviço consagrado a Mim.

Como não estás mais sob a compulsão da condescendência com os velhos hábitos, podes agora substituí-los por uma vida vivida no Espírito. Deixa-Me mostrar-te antigas práticas que persistem, para que possas abandoná-las aos poucos... a submissão de alguém que sabe que o amor planeja o que é melhor para ti. Deixa que os obstáculos sejam implacável e sistematicamente atacados.

Os Meus propósitos não podem malograr, mas podem ser tolhidos por tua desobediência contumaz e por duvidares de Mim quando podes perfeitamente confiar em Mim! Eu sou capaz de interpretar a Minha vontade adequadamente em *cada* situação humana em que te envolves.

Deus te poda para que
produzas mais fruto ainda.
(João 15,2)

Muitos acham que excluir-Me de sua vida significa evitar o mistério e o silêncio e usufruir as benesses da vida.

Aqueles que se contentam em viver sem Mim não veem que, embora eu não possa ser percebido superficialmente, posso ser facilmente encontrado naquele silêncio e naquela "não atividade" aparente.

Meu filho, nunca, nem um dia sequer, te deixes levar pela tentação de duvidar que Eu estou distante ou que não quero intervir. Em vez disso, lembra-te com satisfação das incontáveis ocasiões em que a Minha presença te foi confortadora, te trouxe alívio e te fez recuperar a esperança. Eu ainda *antecipo* toda necessidade possível.

Na chamada "quietude" da Minha ação encontras ocasiões sem conta para extravasar teus sentimentos de gratidão.

Apenas repousa teu espírito em tudo o que vês em Mim.

Vós, porém, não quereis vir a Mim
para terdes a vida.
(João 5,40)

O mal quer que acredites que Eu hesito em suprir as tuas necessidades — porque podes ter renunciado ao teu direito de ser plenamente atendido.

Podes estar certo de que as tuas quedas, as ocasiões em que Me magoaste, *não afetaram* o Meu desejo de que alcances o melhor que foi planejado para ti — agora e no futuro. A Minha graça se torna uma força que te aproxima mais de Mim e te leva a valorizar-Me.

As mãos do suprimento ainda estão estendidas... recebe!

Recebe de Mim paz, coragem, sem nenhuma restrição. O amor que Eu tenho por ti não pode ser contido em seu transbordamento.

Sejam muitas as ocasiões em que, perdoados os pecados, te dispões a abrir-te e simplesmente receber a prodigalidade do amor. Compreendes que as implicações do Meu amor são infinitas.

O Pão de Deus dá vida ao mundo.
(João 6,32)

Não deixes que o "sucesso" tangível seja o fim da tua busca da santidade. No Meu serviço, não deves preocupar-te com resultados, calculadamente. A obstinação (mesmo na adesão à Minha causa) deve ser eliminada. Apraze-te em Me servir do modo que Eu vejo ser o melhor possível, tuas energias aplicadas para Mim, não para o teu avanço sutil no Meu serviço.

Segue os caminhos *devotos* do serviço, desejando a *Minha* glória. A tua atuação deve estar sempre de acordo com os Meus propósitos. Quando recorres a Mim em abandono, Eu posso fluir através de ti à *Minha* escolha.

Meu filho, pede para ver as coisas com os Meus olhos, cada vez mais. Pede para que a tua vontade possa estar em harmonia sempre mais perfeita com a Minha. Esta é sempre *tua* principal tarefa. Nunca percas isso de vista!

Os Meus pensamentos não são os teus pensamentos.

(Isaías 55,8)

Este é um mundo em que a operação do Meu poder é teimosamente restringida pelo homem. Minha influência é excluída pelo desejo do homem de estar no controle do seu próprio destino, de viver segundo seus próprios padrões.

Meu filho, embora não seja assim na tua vida, vê o perigo de restringir a operação do Meu poder... que ocorre quando planejas febrilmente o que teria sido muito melhor ter deixado para Mim. Tudo o que posso então fazer é continuar a cuidar de ti, observando-te dificultar os fatores mesmos que atenderiam às tuas preces.

No fim, os Meus planos para ti *devem* realizar-se, mas há tanta frustração, tanto desgosto quando o que te motiva é a obstinação, não a confiança... mesmo que por pouco tempo. Meu filho, mostra a restrição que fala da Minha grandeza. O mal quer que reduzas o fluxo do Meu poder para ti. Assegura que Eu possa realizar, *sem* imperfeição, os Meus propósitos amorosos por ti.

Não te glories de tua sabedoria.
(Jeremias 9,23)

É *somente* Comigo — fixado o objetivo da tua vida — que podes perceber a conformação de passos na Minha direção a partir do que pareceria totalmente inútil e inaproveitável. Quem não Me conhece não consegue ver a Minha organização do mundo como o modo de realização da alma. Tu a verás cada vez mais.

Embora o mundo possa não ver a tua caminhada intencional Comigo, tu conhecerás, no teu coração, uma *nova direção* vital para tua vida; seguindo essa direção, nunca te sentirás abatido.

Pondo tudo em Minhas mãos seguras, o teu presente e futuro... um dar *renovado* a cada dia... assegura a Minha atividade contínua. Procura ver-Me sempre como Alguém que está no controle não apenas do processo criativo, mas no controle da tua vida... O abandono do orgulho e da autossuficiência produzirá então maravilhas num filho muito imperfeito, mas cheio de boa vontade.

Regozijai-vos com aquilo que estou para criar.
(Isaías 65,18)

A natureza do amor divino nem sempre é compreendida. É um amor *ardente*... muitas vezes atraindo arduamente Meus filhos para Mim. O Meu amor é constantemente magoado, mas quebra, inexoravelmente, a resistência; diferentemente do amor humano, ele não se cansa.

Meu filho, vê a paciente atividade do Meu amor — especialmente no teu coração... eliminando tudo o que o ofendeu.

O Meu amor deve *preencher-te*. A busca do ego, os fins calculados que contaminam o teu amor imperfeito, devem desaparecer. *Meus* desejos em vez da conveniência!

Reconhece o crescimento do Meu amor na tua decisão de romper todas as barreiras, todos os mal-entendidos. Quando o teu amor é magoado, reconhece sua afinidade com o Meu. O teu amor, incorporando-se ao Meu, será muito bem usado nos Meus propósitos para o Meu mundo.

... a fim de que Eu também esteja neles.

(João 17,26)

A razão de ser de todos os fenômenos é o amor, e por isso ele é sempre afrontado pelo mal. Quando o *amor* pode ser destruído, o mal se regozija — muito mais do que com tentações mais óbvias e superficiais.

A ruína do amor é sempre a maior tragédia da vida; significa que tudo o que foi planejado para a satisfação humana e o progresso da alma é obstruído.

É tarefa tua, portanto, afastar tudo o que perturba o amor... todo pensamento crítico (por mais "justificado" que seja), toda raiva alimentada ou observação danosa, tudo o que pode causar tribulação constante. Eu espero que sejas *sempre* vitorioso, na Minha força.

Deixa que o Meu amor purifique os teus impulsos amorosos para torná-los envolventes e constantes. Faze todo o possível para que, em tua vida, a ação divisora do mal entre a humanidade não tenha sucesso.

... o amor de muitos esfriará.
(Mateus 24,12)

Resguarda o teu espírito com a Minha presença infalível. Meu filho, Eu suplico que caminhes, na luz, naquele plano superior onde o mal não tem poder para te influenciar. Eu te darei uma *nova direção*, orientada para a Minha luz, sempre que as tuas escolhas forem corajosas para Mim.

Lembra que o nosso relacionamento é especial. Nem por um momento sequer deves ver com preocupação os problemas e possíveis exigências. Todas essas coisas são *tratadas* enquanto manténs teu olhar em Mim. Eu não só manifestarei a Minha vontade, mas permitirei que possas discernir seu padrão, cada vez mais.

Quero que tenhas uma vida feliz que, apesar de sujeita a muitas pressões e desestímulos mundanos, reflita o Meu amor, a Minha fidelidade, na tua paz, na tua confiança e na tua coragem. Voluntariamente, estás Me deixando conduzir-te

em cada dia?

em cada *momento* desse dia?

Eu te "conduzi" para muitos encontros!

Eu sou o bom pastor.
(João 10,14)

Meu filho, mesmo no nível humano, existe sempre o desejo de restabelecer um relacionamento desfeito, quando desejas que a pessoa amada não se sinta culpada e responsável.

Consegues ver, portanto, por que o Meu perdão é imediato? Eu mesmo, por causa da Minha forte identificação contigo, sinto o sentimento de vergonha que te faz sofrer!

Almejo que todas as *consequências* da discórdia se dissipem no momento mesmo em que te diriges arrependido a Mim. Quando existe dúvida, inspirada pelo mal, sobre o Meu perdão pleno e livre, lembra-te do sofrimento a *Mim* causado enquanto a culpa e o remorso continuam em ti. Lembra-te de que o mal tenta e ao mesmo tempo condena.

Almejo que voltes a *sentir* o Meu amor, que retomes o teu progresso, livre do fardo da culpa... que te sintas seguro e feliz no Meu amor, com uma obediência cada vez maior. O que estás aprendendo sobre o Meu amor te ensinará muita coisa sobre o Meu modo de agir com a humanidade.

Eu apaguei as tuas transgressões,
e já não Me lembro dos teus pecados.
(Isaías 43,25)

Meu filho, lembra que o Meu ser envolve o teu. A carne oferece perigos inevitáveis; como este mundo é apenas uma manifestação passageira da Minha criação, essa carne faz parte da fraqueza e da "extinção" definitiva do mundo.

Se pudesses ver todas as dores que Eu afasto, não saberias realmente como agradecer! Muitas coisas simplesmente não se prestam para os Meus propósitos e Eu te poupo delas — embora possas não percebê-las como prejudiciais; és poupado todos os dias de centenas de coisas assim.

Meu profundo envolvimento contigo tem relação com os detalhes mais ínfimos — permitindo somente o que é certo para a tua santificação — e com a alegria da Minha presença próxima. Eu continuo a trabalhar por ti tanto na tua atividade quanto na tua inatividade.

Valeis mais do que muitos pardais.
(Lucas 12,7)

Meu filho, o futuro sem Mim se torna assustador quando percebes (como agora) os sutis perigos da existência. *Comigo*, deixa que o pensamento do que está adiante te *anime*; não esmoreças diante dele de forma nenhuma. Frente a dificuldades inevitáveis, criarás coragem e um conhecimento mais profundo de Mim. Vê como uma só e a mesma a luz da Minha presença de cada dia e a luz que se irradia sobre o teu futuro.

A tua mão na Minha!... Não se trata de uma figura de linguagem, mas de uma navegação literal e muito prática por regiões não mapeadas.

Vês o Meu amor como a única coisa que importa?

Meu amor fluindo dos reinos do Espírito...

Meu amor penetrando nos lugares escuros da terra...

Amor na terra... Elevando o lugar-comum ao céu!

Eu não vos deixarei sem a
Minha presença consoladora.
(João 14, 18)

É para que a mudança possa ocorrer nos Meus filhos que a Minha natureza é imutável.

Um poder, e uma compreensão com que podes contar, proveem a permanência sobre a qual podes te aventurar.

Novas áreas de conquista, novos objetivos, novos modos de pensar representam a mudança em ti fundamentada sobre o que é imutável.

Sente a *permanência* divina rompendo aquilo que, por teus próprios esforços, não consegues quebrar. O Meu propósito, revelado à humanidade, de tornar todas as coisas novas, se cumpre quando contas completamente com a Minha imutabilidade.

Nas circunstâncias desnorteantes da vida diária, o mesmo amor e o mesmo poder estão à tua disposição cada dia. Por Eu ser a tua esperança, sabes que o Meu espírito vive em ti... seguramente verás o seu transbordamento.

Agradece-me todos os dias por possuíres o que é eterno.

Antes que Abraão existisse, EU SOU.

(João 8,58)

Ohomem não vê o processo de renovação naqueles que vivem no Meu amor. Sim, o espírito pode morrer — embora, externamente, pareça haver energia e realização. Com o tempo, naturalmente, o exterior também deve sucumbir, e então a morte é total.

Para preservar da morte do espírito faz-se necessária a interação diária dos nossos seres... tão prolongada, e tão inatingida pelos padrões do mundo, quanto podes fazer com que o seja. A Minha renovação da pessoa essencial, a pessoa cujo espírito Me é caro, leva consigo também a renovação de muitos processos naturais e visíveis. A vida então se transforma numa realidade bela e provida de propósito, realizando o potencial para o qual foi criada.

Quando, finalmente, os processos físicos cessam, permanece um espírito purificado — vivo no sentido mais pleno, e já irrevogavelmente ligado a Mim. Esse espírito renovado está então pronto para a união mais íntima que é Minha promessa.

**Que aproveita ao homem ganhar o mundo
inteiro e perder a sua alma?**
(Marcos 8,36)

Meu filho, amplia a tua visão da área em que Eu tenho influência e em que sou suficiente para cada necessidade. O Meu amor por ti garante que tanto no reino da mente e do espírito quanto no mundo das relações e das necessidades materiais possas afirmar frequentemente que Eu posso propiciar *precisamente* o que considero como o melhor para ti.

Não existe área da qual a Minha influência é excluída enquanto perseveras no caminho estreito.

A Minha *influência* interior te passa a sensação de paz e a capacidade de contemplar o futuro sem apreensões.

A minha influência *ao teu redor* — numa multiplicidade de situações e sobre o tempo que dispensas às pessoas, te levará a agradecer-Me, com um sentimento de assombro, pelo que Eu tenho realizado.

Mesmo que não Me vejas trabalhando imediatamente, sabe que logo *verás* onde tenho trabalhado para ti; derrama-te então em expressões de agradecimento.

Toda autoridade Me foi entregue...
sobre o céu e sobre a terra.
(Mateus 28,18)

Preciso ensinar aos Meus seguidores a submissão à Minha vontade quando *não* é fácil. Preciso ver a disposição deles de percorrer um caminho acidentado e de fazer sacrifícios por Mim.

Quando vejo o coração submisso, posso mostrar o lado mais extrovertido da Minha vontade — a comunhão serena Comigo, a posse prazerosa de Mim mesmo, das Minhas dádivas e do Meu mundo — que Eu quero que ele tenha porque o amo muito! Então, a Minha influência só pode agir e os meus planos só podem se realizar.

Revelar já no início as muitas recompensas da vida Comigo produziria o motivo errôneo para a aceitação da Minha vontade. Somente quando vejo a obediência incondicional é que posso derramar o Meu amor e paz — e revelar a fruição delas como sendo apenas tão verdadeiramente a Minha vontade quanto o são o sacrifício e o dever.

Quem dera que Meu povo tivesse um coração
que Me temesse e obedecesse.
(Deuteronômio 5,29)

Conscientiza-te da *independência* da Minha atividade para ti e através de ti. Eu sempre trabalhei através daqueles que se ofereceram a Mim — totalmente independente do seu senso recorrente de inadequação, dos seus medos.

Nunca Me negues achando que um encontro foi improdutivo por causa do teu próprio senso volúvel de bem-estar ou de segurança. Não deprecies cada pequeno ato de incentivo de tua parte. Preciso mostrar seguidamente aos Meus filhos (por segurança oferecida mais tarde) o *quanto* alcançaram quando tinham a sensação de tão *pouco*.

Meu filho, tudo isso reflete em proporção menor a Minha própria atividade quando ela está sujeita às limitações da terra... o Meu coração cheio de pressentimentos com relação ao futuro, mas amor capaz de permeá-los — para a revivificação de milhares de vidas.

Como um dever, agradece-Me ao fim de cada dia pelos Meus propósitos que se cumprem através de ti — nunca mais do que quando consciente de não teres absolutamente nada — a não ser a tua posse de Mim!

Eu vos farei pescadores de homens.
(Marcos 1,17)

Meu filho, observa na beleza de uma rosa o *dar* desprendido da natureza.

A fragrância dessa flor, sua delicadeza, sua forma e sua cor têm muito a te dizer. Essa flor dá prazer simplesmente pelo *que ela é*. Do mesmo modo, tua influência depende do que tu *és*. Cultivares-te para refletir a Minha natureza é a necessidade verdadeira... quase a única necessidade!

A tua paciência, confiança e abnegação atrairão outros a ti; Eu serei *visto* em ação... A tua transformação em alguém cuja influência por Mim é grande seguramente se concretiza quando te abres à ação milagrosa do Meu espírito em teu coração.

Aos milagres que ocorrem em tua vida seguem-se *naturalmente* outros sempre que a tua influência pode ser sentida.

Põe-te em pé, resplandece.
(Isaías 60,1)

Muitos filhos Meus, reconhecendo o Meu amor, e até imensamente confortados por ele, não veem suficientemente seus aspectos práticos.

A questão não é apenas que o Meu amor, em momentos de exaltação, te ajuda a não ter medo. Há outras razões mais práticas para não ter medo de nada em tua vida, ao perceber que o Meu amor *planeja ativamente* para ti.

Medita cada dia sobre essa atividade. Entrega ao Meu amor *ativo* cada fator desalentador, cada apreensão. Agradecer-Me frequentemente por não teres absolutamente nada a temer é mais do que palavras bonitas... é o reconhecimento de um fato da nossa relação.

Se pudesses ver a Minha contínua provisão e a Minha condução de ti através dos períodos sombrios que a vida pode apresentar-te, saberias que repelir todo medo é verdadeiramente teu *dever*. Eu te conduzo por caminhos de poder, por caminhos de paz.

Eu vos criei e Eu vos conduzirei.

(Isaías 46,4)

Não imaginas como fico satisfeito quando segues a Minha palavra. O teu senso da Minha sabedoria, da Minha absoluta confiabilidade, deve se refletir numa decisão correspondente de seguir as Minhas palavras para ti.

Não discutas angustiado com a Minha palavra, sempre muito clara; simplesmente obedece como um filho. Nada na Minha palavra jamais entrará em conflito com a verdadeira sabedoria. Conserva a convicção de *ser conduzido* por Alguém que conhece o caminho. Avidamente, ouve a palavra do Meu Espírito em teu coração e então acolhe *somente* o que se harmoniza com ela.

Seguir incondicionalmente a Minha palavra não afeta em nada a tua percepção, que permanece intacta. Observarás a existência atual com perspicácia *potencializada* enquanto acompanhas resolutamente o Meu passo. Após o teu esforço inicial de escolha, seguindo a Minha palavra, verás *sempre* que conquistas uma nova área. Asseguras esses ganhos com tua total confiança em tudo o que Eu sou.

Seja feita a Tua vontade na
terra, como é feita no céu.
(Mateus 6,10)

Meu filho, por causa do sofrimento da terra, muitos dos que aceitam a Minha atividade criadora, não obstante sentem agudamente o Meu distanciamento. Com o tempo, essa sensação sempre leva à descrença total.

Volta a refletir profundamente sobre a Minha identificação, na história, com a raça humana. Nunca mais verás o amor da Divindade como um amor passivo, ainda com um grande abismo entre ele e a humanidade que se debate.

Ao decidir seguir-Me, mostras que a Minha vinda à terra não foi um evento aleatório, mas uma intervenção de significado profundo e universal. O amor, velando com carinho e paciência pela raça humana durante seu desenvolvimento, foi compelido a submeter-se à experiência terrena. Essa experiência se tornou não apenas uma vitória no reino espiritual, mas uma vitória que está ao alcance de cada um dos Meus filhos.

Desde o tempo da Minha identificação mais íntima com a humanidade, *nada* pode impedir a realização do anseio humano muito natural pela imortalidade.

Eu vim procurar e salvar quem está perdido.
(Lucas 19,10)

Muitos veem a Minha graça como loucura, um fracasso em garantir que Meus filhos adotem um modo de vida equivocado, um excesso de paciência da Minha parte.

Deixei claro muitas vezes que os Meus caminhos não são os caminhos do mundo. A graça que o mundo pode oferecer é limitada... e seus efeitos limitados. A Minha graça, embora parecendo não levar a sério fracassos contínuos, é muito segura em seus resultados essenciais.

É o senso do Meu amor paciente — amor para com os que não merecem — que por fim evoca em quem o recebe a verdadeira gratidão, da qual fluem *vidas mais obedientes*! O que o cumprimento rígido da lei não consegue produzir, o Meu amor sempre produz... embora esse processo paciente possa parecer interminável em algumas vidas.

Meu filho, a tua obediência crescente — embora com muitas falhas — remete à graça que tão plenamente emana do Salvador do mundo... tua eterna fonte de esperança.

... até setenta vezes sete.

(Mateus 18,21)

Conheceste a impermanência dos suportes do mundo. Conheceste a boa vontade, mas ao mesmo tempo, infelizmente, a impossibilidade de muitos de ajudar. Eu continuarei a enviar ajuda através de mediadores humanos, mas quero que Me vejas sempre como teu *primeiro* recurso. Podes então aprender a perder a confiança nos suportes temporários da terra.

Muitas vezes, a busca em primeiro lugar de Mim mesmo como tua estabilidade na incerteza evitará a necessidade de qualquer outro intermediário. Então estás firme sobre a rocha e podes absorver a força que dela emana. Teu caráter começa então a assumir uma qualidade pétrea.

Sim, mesmo uma rocha terrena pode desintegrar-se, mas tu fixaste tua esperança na rocha da história... sendo ela para ti o que tem sido para muitos...

Inabalável, e acessível *instantaneamente*!

Eu te fortalecerei.
(Juízes 6,14)

Onde existem problemas que parecem insolúveis, muitas vezes Meus filhos cometem o erro de "tentar" demais — mesmo depois de entregarem a questão a Mim. Há a tentação de forçar soluções dedicando-se em excesso à atividade ou à persuasão.

Sabedoria é simplesmente fazer o que é possível fazer com *sensatez* — no contexto de uma vida que é preenchida com a oração. Somente quando a sabedoria que Eu te dei indica que é necessário é que deves agir com determinação.

Os problemas que parecem complexos ou resistentes são, naturalmente, muito diferentes na Minha visão... eles só continuam como "problemas" se não são entregues a Mim.

Por isso, podes ter confiança absoluta na Minha condução de cada situação difícil, na Minha resolução de "questões pendentes" de forma irrepreensível... quando tu, da tua parte, percorres contente o Meu caminho.

Seja feito segundo a vossa fé.
(Mateus 9,29)

Evita tanto o entusiasmo exagerado quanto a depressão excessiva — que se relacionam com condições externas; fazes isso encontrando satisfação na Minha companhia, na Minha lealdade para contigo, e não nas coisas dos sentidos ou na boa sorte passageira.

Ao contemplar o futuro, lembra sempre, *empolgado*, que o caminho adiante deve ser percorrido *Comigo*. Observa tudo o que Eu te disse... essas verdades não mudam. Não te demores em fantasias vãs! Ocupa-te apenas com a Minha causa nesta terra... direciona toda a tua energia para ela. Simplesmente incorpora essa nova qualidade de vida que é de fato tua.

Meu filho, confias *realmente* na Minha boa influência sobre a tua vida? Conheces o caminho que conduz ao Meu Reino; como percebeste, não deixas de ser muito pressionado a te afastares desse caminho! Não permitas que circunstâncias externas ou quaisquer outras exigências que te sejam feitas te instiguem a deixar-te levar pelas coisas que representam perigo.

... inquieto e agitado por muitas coisas.
(Lucas 10,41)

Meu filho, estás te lembrando de deixar o Meu amor ser o ambiente em que te moves sem medo? O medo pode mutilar a tua vida, impedindo todo o trabalho de santificação, compelindo-te a agir com consequências danosas, tanto para ti quanto para os outros.

Não toleres mais um dia em que o medo domina, mesmo que seja de modo parcial. Eu anseio por te ver deixar o medo para trás permanentemente... como uma resposta ao Meu amor. Confia em Mim, com abandono absoluto, ao enfrentar a pressão do mal para agires com medo. Não deixes que receios ou temores de consequências te façam recuar depois da tua corajosa escolha.

Deixa que o senso dominante do Meu amor e as tuas ações contra o medo andem juntos. Se o medo é seguido, ele sempre obscurece a Minha luz. As escolhas corajosas (se cuidas para que não haja ofensas a Mim) mostrar-se--ão ter sido escolhas sensatas!

Sê firme e corajoso.
(Josué 1,6)

Em tempos de mudança em tua vida, alterações a ser feitas com relação ao futuro, procede com muita calma e avalia tudo à luz da Minha presença. Não permitirei que nada te desencaminhe; diante de mudanças, baseia *tudo* na certeza do Meu amor.

Faze todas as escolhas com o olhar voltado para Mim;... deixa que Eu as entremeie com a Minha vontade. Ao contemplar qualquer ação, lembra-te de recorrer ao Meu amor, e a *pausa* — para ver a Minha confirmação celeste! Deixa que a tua sabedoria crescente influencie os acontecimentos.

Diante das dificuldades, tudo o que importa é te manteres perto de Mim. As circunstâncias então se harmonizam... tanto na tua vida como na vida dos que se relacionam contigo. Os Meus desejos nas escolhas complicadas serão satisfeitos naturalmente... Tu sabes que podes confiar em Mim para abrir ou fechar portas!

Segue-Me!
(Mateus 4,19)

Onde mais poderias encontrar um início totalmente novo, e rapidamente, depois de te envolveres numa situação inquietante ou "sem saída"?

Onde mais poderias ver que até mesmo atos imprudentes e condenáveis teus, depois de arrependido, são realmente transformados em novo recomeço *promissor*?

A perspectiva de que podes recuperar-te e recomeçar, a capacidade de passar de um estado de espírito deprimido para um esperançoso, apenas por estar Comigo, é algo que o mundo não consegue te dar.

Através da história, quando houve confiança em Mim, Eu corrigi coisas erradas, tranquilizei espíritos ansiosos, transformei tristeza em alegria, dei força para começar de novo, depois de fracassos desoladores.

Meu filho, convence-te de que deves sempre vir a Mim para buscar a *renovação*... no sentido mais amplo possível.

Mesmo que os vossos pecados sejam como escarlate, tornar-se-ão alvos como a neve.
(Isaías 1,18)

Sabes que Eu trabalho incessantemente... sempre com muita determinação, mas também com muita calma. Para seguir o Meu exemplo, deves aproveitar cada momento. Refletindo mais o Meu amor e a Minha sabedoria, promoverás os Meus propósitos. Nem tudo será "atividade"; grande parte será uma *influência* amorosa e paciente; grande parte será uma entrega a Mim, enquanto permaneces em Mim.

Aproveitar cada momento significa garantir que Eu estou *empenhado em...*

... chegar aos outros através de ti

... inspirar-te

... receber de ti.

Podes achar que a tua contribuição é insignificante em comparação com o todo. Deves saber que o teu envolvimento de Mim é uma contribuição para os Meus propósitos que está fora de toda proporção com a boa vontade e a confiança da vida envolvida.

Meu filho, simplesmente abandona a tua vida ao Meu contínuo envolvimento... e seu maravilhoso uso nos Meus planos criativos.

Eu sou a videira e vós os ramos.

(João 15,5)

O mundo observa os Meus seguidores para ver se eles Me refletem, para ver se fazem *diferença*... se estão imbuídos do sentimento inequívoco da esperança, se demonstram amor paciente em todas as circunstâncias.

Mais do que argumentos, o Meu reflexo quebra a resistência natural e atrai para Mim o espírito de outros filhos. A tua influência não deve ser exaltada nem compulsiva.

Estar a Meu serviço significa realizar uma tarefa discreta, enfadonha, fiel. A Minha tarefa *sempre* se realiza numa vida assegurando a *atração* do Meu amor no mundo à volta. Eu trabalho através de ti *onde tu estás*.

Estás totalmente à Minha disposição? Participando da Minha vida, tudo o que fazes por Mim *não é afetado* pelas barreiras erguidas pelo mundo!

Brilhe a vossa luz diante dos homens.
(Mateus 5,16)

Meu filho, observa o aspecto *unificador* do Meu amor... é nesse amor que serves... e é no mesmo amor que repousas!

No Meu amor, peguei tua mão para conduzir-te pela estrada que leva à unidade Comigo... uma unidade que deve ser *tua* aspiração!

Meditando intensamente sobre o Meu amor, tu podes:

desfazer-te das tuas cargas...

ser confiante...

tranquilo...

cheio de esperança...

ser resguardado do mal...

imbuir-te de amor pelos outros...

ser criterioso...

paciente...

vitorioso...

Quando são muitas as exigências da vida, mantém-te no círculo da nossa relação de amor... deixa que essa relação *sempre* dissipe a culpa, o medo, a agitação do espírito.

Eu os amarei infinitamente.

(Oseias 14,5)

Em vez de te alarmares quando a tentação é forte, *recebe* a tentação como uma oportunidade para provar o Meu poder libertador. O mal opor-se-á à tua obediência cada vez maior e à união Comigo; não posso afastar toda tentação, mas permitirei *somente* o que favorecerá o teu crescimento espiritual.

Para exercer a tua liberdade no momento da tentação, conserva o espírito calmo e alegre. Os teus fracassos em resistir à tentação detiveram o teu progresso e deixaram Meu coração triste... Lembra-te de recorrer a Mim, estabelecendo tua *nova condição* naquele momento de necessidade.

A oposição do mal é insignificante! Observa sua influência diminuir à medida que te entregas a Mim.

Se observas teus ganhos (e perdas!) intermitentes, podes facilmente desanimar. Não há necessidade de ser assim — se lembras que toda tua esperança está sempre no que *Eu* sou. Enquanto andamos juntos, o mal não pode impedir-te de avançar.

Vigiai e orai.
(Mateus 26,41)

Meu filho, muitos são os caminhos que levam à Minha amizade, mas o caminho *régio* é o de ser resgatado da escuridão total... conduzido a um reino de luz e esperança — e com um senso de ser cuidado.

Nenhuma experiência se compara à da sensação de estar abandonado — e então de encontrar uma saída, Comigo. Nunca percas uma oportunidade de dizer o que fiz por ti e o que significo para ti. Eu enviarei essas oportunidades! Fala do Amigo que não pode ser derrotado; fala da *vastidão* da Minha misericórdia e da Minha paciência.

No amor, Eu estendo a mão para resgatar o filho que se volta desamparado, e pouco confiante, a Mim; quando esse filho faz isso, Eu *sinto imediatamente* sua gratidão por ele ter encontrado o Senhor de toda História.

Volta-te para mim,
porque Eu te redimi.
(Isaías 44,22)

Os homens tardaram a perceber que uma relação Comigo depende do contato deles com Aquele que *já está disponível*.

Sê agradecido por teres visto a necessidade de te deixares levar à Minha presença *existente* — em vez de ver-Me como Alguém separado de ti, precisando ser convencido a entrar na tua vida. Através do Meu Espírito começas a Me desejar... tudo o que Eu posso ser para ti, e posso dar-te, passa a fazer parte da tua vida.

As Minhas promessas de nunca te abandonar — muito numerosas — devem te tranquilizar sempre, mesmo quando te sentes envergonhado ou desanimado quanto à tua jornada espiritual. O Meu amor Me obriga a permanecer profundamente envolvido com a tua existência.

Nenhuma "observância" externa ajuda a te aproximar dessa proximidade... somente, talvez, a *apreciá-la*. É a Minha presença imanente que te *impele* a te voltares instintivamente para Mim em absolutamente todas as circunstâncias.

Ainda um pouco e o mundo não mais
Me verá, mas vós Me vereis.
(João 14,18-19)

Percebe como o Meu amor não só forma um círculo de proteção ao teu redor, mas também afeta, por sua presença, toda atividade mental e os modos como a tua existência toca o que está no mundo. É o amor que dá vida, é o amor que revoluciona a vida.

Quero que percebas a influência do Meu amor... sobre o pensar; nas vitórias que obténs; em oferecer respostas onde tudo o mais nada resolveu.

Meu filho, desejo ardentemente que conheças ainda mais esse amor! No Meu amor atravessarás em segurança muitos lugares tenebrosos... embora em tempos de fraqueza, isso possa parecer impossível para ti. Enfrentando esses lugares tenebrosos Comigo, *tua* vida se torna um lugar onde os Meus propósitos para este mundo prosseguem para a realização.

Como Eu, teu amigo, poderia te decepcionar?

O vencedor receberá todas as coisas.
(Apocalipse 21,7)

Mantém-te centrado em Deus o tempo todo... idealmente preparado para ver o caminho que deves seguir.

Evita preocupações com o ego, o que favorece uma passagem para o mal... a preocupação consigo mesmo pode facilmente transformar-se num hábito... uma das formas mais sutis de pecado, levando a pessoa que a tolera a não se sentir ansiosa!... Afasta a apreensão e a preocupação com o ego e *volta-te* para a necessidade do outro ou para algo fora do ego.

A tarefa consiste sempre em manter a *tua* vida no caminho certo — sejam quais forem os defeitos dos que te são próximos. Somente quando obedeces é que a Minha luz pode iluminar melhor o teu caminho.

Conhecer o Meu poder — inclusive recomendá-lo a outros — é insuficiente; escolhas muito confiantes devem ser feitas para reverter a antiga vida do ego. Não prejudiques a nossa amizade; apenas mantém tua âncora fixa em Mim.

Voltai-vos para Mim e sereis salvos.
(Isaías 45,22)

Meu filho, a recusa da ansiedade, agora que estás firmemente nas Minhas mãos... Dás à ansiedade o solo onde crescer sempre que não te voltas para Mim e avalias a tua situação de um ponto de vista muito humano e limitado.

A ansiedade prolongada e fútil cria o clima para muitas *outras* tentações, das quais estás muito consciente. Quando o mal tenta implantar pensamentos ansiosos, firma-te em Mim e repele-os. Transforma as ansiedades em oportunidades!

Ocupa-te com as necessidades dos outros pelo motivo certo (o motivo do amor), sem desviar a energia da tua mente para o ego e suas necessidades — reais ou imaginárias.

Podes literalmente *sentir-te* pensando e agindo de modos novos... recusando tudo o que difere da calma e da paciência? Foste resgatado do poder das trevas, por isso deixa simplesmente que Eu dissipe *todas* as ansiedades das forças do mal.

Aprendei dos lírios do campo!
(Mateus 6,28)

Fica na companhia daqueles que chamei de bem-aventurados. Almeja as qualidades que eles mostram; deixa-Me introduzir-*te* na companhia daqueles que permitiram que suas vidas fossem transformadas pelo Meu controle amoroso.

Lembra-te da Minha promessa de que os Meus sofredores conhecerão a *Minha* recompensa; de que os que mostram compaixão e perdão recebem Meu amor afetuoso e Minha profunda compreensão.

A Minha força assegurará que sigas o exemplo dos Meus bem-aventurados. Não precisas estar sempre atento para ver se as suas virtudes se tornaram tuas... apenas sabe que quando almejas essas qualidades e te identificas Comigo, *todas* elas se desenvolvem em ti.

Comigo, seja como Objetivo, seja como Companheiro em tua jornada, tens a garantia de chegar ao Meu reino prometido, embora as condições desta terra possam parecer obstáculos para tua mente finita.

No Reino do meu Pai, os
justos brilharão como o sol.
(Mateus 13,43)

Uma sensação de "leveza"... fardos *realmente* entregues a Mim! O que és capaz de fazer por Mim não deve ser afetado pelo que carregas desnecessariamente — deixando de confiar no Meu poder e na Minha sabedoria. A falta de confiança causa muito sofrimento — um sofrimento que sou obrigado a partilhar, pois anseio para que o parcial se torne perfeito em ti.

Vê a relação entre confiança e paz. Eu posso produzir o que está acima de tudo o que podes eventualmente entrever. Reflete mais sobre a Minha grandeza!... quando sobrecarregado, volta-te para a Minha *grandeza*, e recebe a força e renovação de que precisas — sem questionar.

Não retomes nenhum dos problemas que entregas a Mim... Eu, teu Senhor, conheço cada dúvida recorrente, mas nas profundezas do teu ser está a certeza cada vez maior de *conseguir*... Meus planos para ti estão sendo aperfeiçoados.

Não vos preocupeis com o dia de amanhã.

(Mateus 6,34)

Lembra que a Minha palavra tem dois aspectos.

Primeiro, o chamado à obediência — indicando o caminho que te impedirá de te desviares para o perigo, o caminho que significará tua verdadeira alegria. Depois, há a *atmosfera criada* por Minha palavra. Se te aproximaste seguidamente da Minha palavra, sabes que ela não só desafia, mas *dá*.

A Minha palavra é sempre uma palavra *contemporânea* e penetra nas circunstâncias difíceis, ou lutas, do momento.

Meu filho, a tua exposição à Minha palavra *deve* trazer esperança, mesmo nos lugares mais escuros. A força que recebes quando vives na Minha palavra significa que os Meus mandamentos, uma vez mais, estão ao teu alcance.

Absorve a atmosfera do Meu Reino; deixa que a Minha palavra cure o teu espírito. *Sempre* alcanças a cura quando te fixas em Mim, confiando na Minha palavra e acreditando em tudo o que Eu fiz por ti.

As palavras que vos digo são espírito e vida.

(João 6,63)

Meu filho, Eu acompanho toda a tua existência; o que acontece agora está sendo modelado, por causa da tua confiança, num padrão significativo para os tempos futuros. Eu estou no futuro desconhecido, exercendo a Minha influência, que é invencível.

O amor não pode ser quebrado, por isso deves convencer-te de que a Minha provisão e a Minha proteção são tuas — de direito — nos dias futuros.

Lembra que a parte material é apenas a parte menor da existência. Quando não consegues compreender muita coisa da Minha *ação* divina, medita sobre o Meu conhecimento do teu futuro e sobre a Minha influência sobre ele. Essa reflexão te propicia uma sensação de segurança e afasta tudo o que é motivado pelo medo.

A revelação do Criador do mundo, não deixando nenhuma dúvida, é algo que podes antecipar com impaciência.

O teu sol não voltará a pôr-se.

(Isaías 60,20)

Meu filho, a vida é cheia de decepções, atacando o teu espírito através dos mais variados canais. Não tenhas medo de encarar a verdade e, Comigo, viver de acordo com ela, qualquer que seja o custo. Todas as minhas verdades, uma com a outra, formam uma grande harmonia.

Sem Mim estás à mercê de mentiras que o mal introduz na mente humana, provocando muita infelicidade. Por influência do mal, o mundo te bajulará, te irritará, te confundirá ou te desviará do Meu caminho... tudo com resultados desastrosos.

Quando aceitas a verdade *central* do Meu amor com entusiasmo, adquires a habilidade de reconhecer o que é falso ou perigoso. As decepções do mundo então te entristecem e decides não te deixar levar por elas; *também* identificas o falso ou perigoso quando eles invadem os teus processos mentais!

Submete tudo à prova da Minha verdade. Eu te dou a capacidade de fazer isso. O que não se harmoniza com a verdade fundamental da Minha existência e do Meu amor não pode existir em ti.

Apertado é o caminho que conduz à Vida.

(Mateus 7,14)

Meu filho, lembra a atividade prática de *compartilhar* que a nossa amizade, tão importante, envolve. As mesmas dores que sentes, Eu as sinto em grau infinitivamente maior. Quando te reanimas e a esperança retorna, não consegues imaginar o quanto alegras o Meu coração.

Eu te precedo na tua caminhada, favorecendo toda boa intenção, preparando corações para o teu encontro com eles, prevenindo para que nada te prejudique. Uma amizade que não agisse desse modo não seria digna desse nome. Eu experimento a luz e a sombra da tua vida a cada momento, cada tentação vencida, cada ato acolhedor do outro, cada escolha de Mim (e não do mundo) para ajudar.

A tua participação na Minha vida significa muito para Mim e alegra o Meu coração.

Eu vos chamo... amigos.

(João 15,15)

Meu amor *deve* levar-te a percorrer caminhos que o mal não consegue desviar... um caminho constante! Em momentos de escolha e de conflito, quando deverias ter fé na Minha vitória e na Minha total proteção, as tuas dúvidas e medos Me deixam *aborrecido*.

Apropria-te da Minha vitória; Eu a selarei por ti. Podes esperar a oposição do mal ao Meu trabalho de santificação em ti. Eu permito essa oposição *no momento*. O mal planeja a tua destruição, mas será incapaz de causar suas consequências avassaladoras se confiares e se te mantiveres na luz da Minha presença.

Dando atenção a Mim ou aos Meus outros filhos, e não ao ego, podes *saber* que a tua nova caminhada começou. Eu te sustento enquanto avanças de uma vitória a outra. Sim, Meu Filho, é uma luta... mas uma luta em que Eu te transformo numa pessoa vitoriosa, atraindo muita glória para o Meu nome.

Não se põe vinho novo em odres velhos.
(Mateus 9,17)

Por causa da nossa *intimidade*, *tu* podes te fortalecer para trilhar a estrada que te mostrei... Envolvido na nossa intimidade está aquele senso de propósito, aquele senso de futuro... trilhas uma estrada com muitos perigos, mas que leva à alegria privilegiada de uma eternidade ocupada em ajudar a realizar os Meus propósitos.

A atmosfera do céu está à tua volta por causa da nossa unidade. És auxiliado em teu esforço em qualquer direção, sem falha. Mesmo quando não tens consciência de nenhuma intenção, a Minha atividade está presente. A nossa intimidade *usa* meios em que o mal não pode interferir.

Permanece consciente da base de amor em que se fundamenta a nossa unidade, o sentimento de amor que assegura o movimento constante em direção à realização da tua vocação espiritual. Meu filho, a nossa intimidade é um *fato*... medita sobre ela com frequência.

Não temas, porque Eu estou contigo.
(Isaías 41,10)

A verdadeira devoção não é uma questão de palavras... a não ser aquelas que brotam de um coração *agradecido*. A verdadeira devoção é um sentimento de temor reverente para Comigo, sentido intensamente, e que não pode ficar contido no que é externo ou no que o homem imagina.

A *continuidade* desse sentimento ao longo do dia, com a consciência da Minha presença que nunca te deixa... não é um ideal impossível! A continuidade da devoção... o teu coração, elevando-se acima das coisas terrenas, contrista-se com cada pensamento, palavra ou ato que não se harmoniza com a adoração que expressas nos teus momentos de maior fervor.

O Meu amor deve sempre avivar a tua piedade. A simples gratidão da piedade decorre naturalmente da experiência cada vez maior de tudo o que posso ser para ti num mundo tenebroso.

Passa o dia inteiro, sejam quais forem seus detalhes, numa atitude de devoção inocente e pura de criança, descontraída e livre do medo.

Adorai a Deus em espírito e verdade.
(João 4,24)

Meu filho, os homens, mesmo os que dizem acreditar, acham que é impossível Me conhecer. Eles me veem como aquele que, relutante, recompensa os que suportam esta vida estoicamente, ou então como quem se revela de forma muito parcial aos moralmente avançados. É preceito do Meu amor que a experiência da *vida em si* ofereça um conhecimento crescente de Mim sempre que sou procurado; conhecimento que se encontra em:

Cada vislumbre de esperança no sofrimento;

Cada reconciliação amorosa com outro;

Cada tentativa de companhia na solidão;

Cada experiência de segurança em situações perigosas;

Cada manifestação de coragem antes ausente.

O único perigo é Eu não ser *reconhecido* nessas circunstâncias. Se acreditas que a Minha presença é imanente e que é possível conhecer os Meus caminhos, os incontáveis aspectos desta vida te proporcionarão um profundo conhecimento do Salvador do mundo.

Eu sou a Luz do mundo.
(João 8,12)

Faz parte da vida vivida Comigo a sensação de renovação a cada novo dia. Tiveste muitas vezes a impressão de ser salvo das consequências dos teus desatinos e do teu egoísmo, de ser levado ileso dessas consequências para um lugar onde quase podes ouvir-Me dizer, "Sim, podes começar de novo!"

O Meu perdão *renova*; a Minha paz *renova*.

A "renovação" resultante de fontes terrenas é limitada, condicionada por muitos fatores; a *Minha* renovação é teu direito inato como filho confiante, crescendo no conhecimento do Meu caminho.

Eu introduzo um novo fator nos relacionamentos, um novo fator em problemas persistentes, quando Me autorizas a entrar. Nada é mais precioso para ti do que os novos começos que aprecias... novos começos que reduzem as ocasiões de queda... novos começos que reduzem, drasticamente, os efeitos das quedas que acontecem!

Trazei a melhor túnica e revesti-o com ela.
(Lucas 15,22)

A descoberta da tua inépcia sem Mim é um processo que eu permito, reiteradamente, até que aprendas a lição.

Naturalmente, podes adquirir uma autoconfiança frágil, mas a tua inadequação básica deve ser cristalina caso queiras *ver* a Minha verdade. É a tua confiança em Mim que te dá condições de agir vitoriosamente, mesmo quando tens a sensação de muitas coisas, menos de que és forte.

Existe relação direta entre o remorso pelas deficiências e fraquezas e o fato de te agarrares firmemente ao Meu amor. Em nenhuma situação o Meu amor é tão intensamente vivido quanto nos momentos de autorrealização... vendo a ti mesmo como és — e então a visão privilegiada de Mim mesmo como Eu sou.

Nas ocasiões em que te lembraste de usar a Minha força (e nas que deixaste de usá-la!), permaneceu o fator *constante* do Meu amor. É *esse* amor que faz o mundo à tua volta ver a tua sensação de total dependência como força! Isso atrai outros a Mim, infalivelmente.

Voltai... Eu vos curarei.

(Jeremias 3,22)

Pode parecer inacreditável aos que veem o sentido do Meu universo apenas em parte, mas *cada um* dos Meus filhos é precioso para Mim. A Minha tristeza é que, por razões as mais diversas, os homens não Me conhecem.

Percebes facilmente o quanto um filho é precioso para um pai dedicado — mesmo quando esse filho rejeita ou magoa o amor demonstrado. Mesmo comparado com *esse* amor, o Meu amor está além da tua compreensão.

Meu filho, medita sobre o quanto és precioso para Mim. Alegra-te porque a Minha tristeza devida à rejeição (por causa da tua confiança) não se interpõe entre nós.

Cada filho que, na dependência mais simples, une a sua vida à Minha *intensifica* a Minha alegria com a Minha criação.

Não fostes vós que Me escolhestes...
fui Eu que vos escolhi!
(João 15,16)

Como parte da Minha revelação ao mundo, falei a muitos corações... escolhidos por Mim para tornar os Meus propósitos conhecidos. A palavra inspirada pelo Espírito tem sido expressa por meio de muitos canais, e nenhuma geração ficou sem conhecer claramente a Mim e aos Meus caminhos.

Antes da Minha manifestação na terra, o objetivo principal da Minha palavra era preparar a revelação perfeita de Deus através de Mim. Aquela palavra tem agora uma nova dimensão... a da realização (os homens foram *testemunhas* do Meu amor e *comprovaram* a vitória de Deus). Através do Meu Espírito, Eu ainda falo aos que querem Me conhecer e ser usados por Mim.

Até que a consciência da realidade espiritual por trás da existência se torne plena, Eu forneço tudo o que é necessário para um filho que confia... Eu dou conhecimento e esperança... Eu passo aquela sensação inestimável de nunca estar sozinho numa criação que se encaminha dolorosamente, mas com toda certeza, para os seus propósitos mais elevados.

Eu sou a brilhante Estrela da manhã.

(Apocalipse 22,16)

Ficarás cada vez mais feliz por teres te "decidido por Mim", ou antes, por Eu ter te atraído a Mim! Percebes que uma vida ordenada *é* possível. Já viste como a confiança é recompensada; em outros aspectos, ainda precisas esperar!

Eu conheço as pressões constantes sobre a tua vida, as áreas de fraqueza que essas pressões ainda põem à mostra. No entanto, essas fraquezas não precisam te dominar, porque *provaste* que a vitória prevalece em tudo. Uma obediência sempre maior indica que a inquietação e a agitação começam a se dissipar. Ainda assim mantém-te bem próximo de Mim e segue o impulso que Eu te dou quando te voltas submisso — e afável — na Minha direção.

Depois de assimilar a Minha palavra, faz com que tua *vida* diga ao mundo que Eu não posso falhar em nada. Verás a Minha vontade revelar-se, admiravelmente, na tua vida.

Observai tudo quanto vos ordenei.
(Mateus 28,20)

A tua vida expressa o *avanço* da Minha influência... muito *mais* Minha — muito menos do velho e defeituoso ego?

Meu filho, não desprezes muitas das manifestações em tua natureza que procedem de Mim; ao expressá-las, cumpres o plano da vida que foi criada unicamente para ti. Ao mesmo tempo, deve ser prática *urgente* tua garantir que haja muito espaço para Mim... substituindo as atitudes egocêntricas e nada amorosas que agora podes perceber em ti. Não deixes que o mal te induza a rebaixar os teus padrões.

O novo da vida é um *fato*, não retórica; ele envolve a expansão da Minha vida em ti e a eliminação de tudo o que retarda os Meus propósitos. Meu filho, Eu estou constantemente criando vidas *novas* entre os Meus seguidores.

Estabeleceremos nossa morada nele.

(João 14,23)

Paz como a que o mundo não pode dar... Meu filho, essas não são palavras vazias, entende isso. Deves compreender a *criatividade* da Minha paz.

> Paz que prepara o caminho para ações criteriosas, que descobre formas de resolver problemas "insolúveis", que se aproxima dos outros e modifica radicalmente suas circunstâncias.

Paz é a dádiva que sempre desejei para os Meus filhos. Os primeiros indícios dessa paz se mostram quando Meus filhos Me encontram; ... em seguida ela se expande no coração dos que sobem Comigo os degraus da vida do Espírito. Meu filho, contemplando o Meu amor... odeia (Comigo) tudo o que pode destruir a paz — inclusive os aspectos em ti que ainda precisam ser eliminados. Deixa que a Minha paz inunde todo o teu ser.

Na Minha presença, agora... paz!

Eu sou o Pastor do Meu rebanho,
Eu mesmo lhe darei repouso.
(Ezequiel 34,15)

Entristece-Me ver tantos dos Meus filhos levados, por vários caminhos, para longe da segurança... para longe de Mim.

O livre-arbítrio existe realmente, por isso não posso forçar uma volta à segurança, mas sempre *vou em busca*... Nunca Me canso de fazer todo o possível para que seja feita a escolha de voltar para casa.

Em vou em busca em lugares *distantes* do Meu caminho. Eu também fico atento quando um dos Meus filhos (como tu) tende a se aproximar do perigo, por menor que seja. É por isso que sentes a inquietude, a perda da paz, que acompanha o afastamento do Meu caminho.

Meu filho, alegra-te por teres em ti, naturalmente, o desejo de voltar rapidamente para Mim quando perdes a sensação da Minha presença e a sensação da direção que seguias.

Estás agora *convencido* de que somente o caminho que te mostrei irá satisfazer os teus anseios mais profundos?

Encontrei a Minha ovelha perdida.
(Lucas 15,6)

Sem Mim, és prisioneiro neste mundo. Mesmo os que se consideram livres e independentes em espírito são muito limitados; eles são moldados por seu ambiente e por suas circunstâncias muito mais do que conseguem perceber.

A *verdadeira* liberdade te leva além das muitas restrições do mundo — desde que Eu tenha sido usado como a porta para uma nova vida. Todas as outras entradas para a liberdade e para a felicidade são falsas. Somente Eu sou a entrada para a segurança e para a *paz* do reino celestial. A porta da vida está sempre aberta para todos os que queiram entrar; ela então se torna uma porta de segurança — *fechada* para o mal permanente que o mundo poderia infligir a um filho que vive na Minha presença.

Mostra aos Meus filhos onde está a passagem para a vida verdadeira... Eu sou o *único* caminho.

Eu sou a Porta.
(João 10,9)

Meus filhos se afastam muito de Mim se não vivem segundo o que lhes revelei. São incontáveis os casos neste mundo de adulteração da verdade para obter vantagens. Podes cair nessa mesma armadilha. Se vives segundo a realidade do Meu amor imutável, agarrando-te firmemente a ele, nenhum poder na terra pode desviar-te.

Quando pressionado pelo mal, jamais transijas com a verdade consolidada no teu coração. Não deixes que tuas convicções e teus ideais mais elevados divirjam do modo como vives tua existência atual; isso enfraquece o depósito de verdade que governa tuas ações. É muito fácil transigir, mas a vereda que leva de volta ao Meu caminho depois de transigir implica a superação de muito infortúnio e a remoção de muitas barreiras. Se a voz da verdade interior deixa de ser ouvida — mesmo que temporariamente — o preço se torna alto demais.

Todos os que amam a verdade são Meus seguidores.
(João 18,37)

Uma das situações mais aflitivas da vida é aquela em que te sentes mal compreendido.

Pede-Me a percepção *permanente* da Minha compreensão perfeita. Eu compreendo tudo o que te motiva e tudo o que, de tempos em tempos, Me faz sofrer. Essa compreensão se estende ao que causaste a ti mesmo por obstinação e por te esqueceres de Mim.

Meu filho, a Minha compreensão se baseia no amor, não no cinismo com que o mundo faz seus julgamentos. Não precisas procurar nem mesmo na fonte humana mais próxima o que já está à tua disposição para o exato momento da tua necessidade. Podes ter sempre certeza de *Uma* fonte de compreensão, e essa será suficiente. Assim estarás livre para entrar em comunhão Comigo com absoluta tranquilidade.

Depois da queda, jamais duvides do perdão dessa compreensão — saber que és *realmente* compreendido significa progresso espiritual verdadeiro.

Eu curarei a sua apostasia,
Eu os amarei com generosidade.
(Oseias 14,5)

Status de natureza mundana não traz satisfação duradoura... somente a consciência do Meu amor pode dar essa satisfação.

O *teu status* depende de algo infinitamente mais precioso — a nossa amizade. Saber que és valorizado por muitos, ou muito usado, é algo que não tem preço.

Meu filho, qualquer coisa que alimenta o ego pode se interpor entre nós; não é possível comparar a glória transitória do mundo com a nossa amizade permanente. A consciência do *status* no Meu serviço é muito mais intensa do que num contexto mundano. Não lutes por *status*... nem o cobices.

A *Minha* aprovação desse anseio por Mim em teu coração é tudo o que precisas como alimento.

Há últimos que serão primeiros,
e primeiros que serão últimos.
(Lucas 13,30)

Algumas concessões... e tudo acontece como se o inferno inteiro se lançasse sobre ti, com a perda do controle sobre os acontecimentos, a preciosa caminhada Comigo temporariamente perdida.

O caminho ser estreito não significa que precisas percorrê-lo com medo. Eu permito uma infinidade de eventualidades nessa trajetória. Aprende a voltar imediatamente à estrada estreita, caso te extravies. É para o teu bem que de quando em quando és levado a perceber que não podes controlar nem mesmo as ocorrências mais insignificantes que se interpõem na tua vida.

Entendes então que Eu estou no controle de *tudo* e que deves alegrar-te em Me deixar agir! A tua submissão consciente ao *Meu* controle é o primeiro passo a dar para sentires a Minha paz. Começa *realmente* a ficar clara para ti a maravilhosa verdade sobre esse novo caminho?

Deveis ser perfeitos.
(Mateus 5,48)

Quando te lamentas da tua situação, isso parece não ter importância, mas o que de fato acontece é que abres uma porta para a entrada do mal... com consequências muito mais danosas do que as causadas quando condescendeste com o "pequeno resmungo", com a "queixa irrelevante".

Eu organizei as coisas desse modo. A vida Comigo exige uma confiança e uma alegria que não podem ser quebradas, porque os resultados podem ser muito ruins. Não caias na tentação de expressar emoções negativas, sentimentos pessimistas ou deprimentes, qualquer que seja a provocação; expressões dessa natureza esmorecem ainda mais o teu estado de espírito e te expõem a muitas outras tentações, prejudicando as respostas às tuas orações. As forças do mal são extremamente astutas na exploração da tua situação.

Sabes que a necessidade de trilhar novos caminhos é urgente. Somente o caminho de confiança e de alegria que recomendei te preservará da pressão do mal.

Dar-vos-ei um coração novo e um espírito novo.
(Ezequiel 36,26)

Meu filho, deves compreender que aqueles que querem ser canais do Meu amor precisam ser canais *desobstruídos*.

Não é condição do uso que faço de ti que te sintas forte, cheio de fé e no controle o tempo inteiro! É, porém, condição *automática* não te prenderes a nada que melindre o Meu amor paciente por ti. Nesse caso, o que prejudica em vez de favorecer pode ser consequência de contatos que tens. A contaminação de algo estranho a Mim pode estar nesses contatos.

Evita o que pode afetar o teu serviço, deixando que o Meu amor te alimente e percebendo *rapidamente* trilhas falsas. O remédio é sempre submissão... abandonando o que sabes em teu coração que é errado. Nenhum filho Meu deixa de ter alguma obstrução ao livre fluxo do Meu amor e do Meu poder. Tua tarefa vital consiste em garantir que quando esse fluxo mais se faz necessário (na necessidade de outro), ele possa ser total e espontâneo.

**Caso o teu olho direito te leve
a extraviar-te, arranca-o.**
(Mateus 5,29)

Meu filho, lembra-te sempre da confiabilidade de uma promessa inspirada pelo amor divino... e fundamentada na Minha onipotência. Quando tentado a duvidar se podes confiar em Mim para alcançar a vitória numa situação difícil, pensa no Meu amor, fonte da promessa.

O Meu amor significa o desejo mais ardente possível de que passes de uma condição de pessoa derrotada para outra de muitas conquistas... tanto na esfera da personalidade quanto nos aspectos externos a ti. Pacientemente, deixa que eu leve as tuas questões à harmonia. Talvez nem sempre detectes o Meu trabalho de promessa — realização, nem os momentos da Minha perfeita intervenção. Apenas vê a natureza imutável desse amor que aponta para a certeza absoluta de tudo o que Eu prometo sobre poder para viver. Uma atitude de repouso no Meu amor *é* o novo da vida!

Fora de Mim não há nenhum Salvador.
(Isaías 43,11)

É essencial aprender a — confiar em Mim.

Confiar em Mim por amor e perdão — sempre;

Confiar em Mim para infundir-te sabedoria;

Confiar em Mim como teu parceiro — abençoando e concluindo tudo o que empreendes segundo o Meu propósito;

Confiar em Mim por comunhão amorosa;

Confiar em Mim como teu Amigo compreensivo que não pode te dar outra coisa senão incentivo.

Queres a garantia de que as promessas feitas a Mim sejam mantidas? Confia então na Minha força, conservando-te na luz da Minha presença. Derruba as barreiras erguidas entre nós, para que a tua visão do Meu amor se torne clara.

Em tempos de desafios e provações, os que *realmente* confiam em Mim alcançam grandes vitórias!

Quando andares pelo fogo, não te queimarás.
(Isaías 43,2)

Meu filho, lembra o poder de viver que possuis quando andas conscientemente na Minha luz e na Minha liberdade; *valoriza* a liberdade que é tua e usa-a consistentemente.

Não te surpreendas com os conflitos à tua volta e dentro de ti, nem com as grandes pressões do mal sobre ti. O mal sabe que se te manténs perto de Mim, estás no caminho da vitória, do qual nada pode te afastar; não podes ser derrotado. Não permitas que o mal induza culpa ou medo. *Transforma* seus ataques, suas mentiras, em vitórias.

Sê ousado em tuas escolhas por Mim e, depois de escolher, repele todos os temores! Tua coragem sempre maior se baseará na convicção de que Eu não te abandono. Mostra ao mundo o que o Meu poder em ti, o Meu triunfo sobre o mal, pode realizar. Sim, Meu filho, tens uma liberdade *verdadeira*.

Ninguém te poderá resistir.
(Josué 1,5)

É o Meu Espírito em ti que sussurra "Está tudo bem" quando as instabilidades da vida parecem demonstrar uma criação sem amor. O Meu Espírito é a tua *luz*, uma luz que o mundo não vê, mas que produz efeitos inequívocos numa vida que pode superar todas as limitações. Minha luz te impele à frente... não olhes para trás com tristeza ou autopiedade.

O teu olhar esperançoso para Mim indica a tua *aprovação* de tudo o que estou fazendo em teu coração. Embora nem sempre consigas ver essa ação em andamento, ela produz consequências incontestáveis. Assegura que a ação do Meu Espírito seja livre e contínua, fortalecida pelo *desejo* decidido de Mim... e pela confiança *absoluta* nas Minhas promessas.

Sê um filho do Espírito, no sentido mais verdadeiro! Para esse filho, *deve* ser removido tudo o que no momento está embaraçado ou causa medo.

O que quer que esteja acontecendo à tua volta, alegra-te sempre por estares aos Meus cuidados. Esse é o verdadeiro e único antídoto para os medos da humanidade.

O Meu Espírito não te abandonará.
(Isaías 59,21)

Se te mantiveres perto de Mim, *sabe* que somos um só... Isto é, estás vinculado aos Meus propósitos, participas da Minha ação. Lembra-te de nos ver unidos... de saber que exercemos *uma influência* quando estamos com outros. Por isso, confia nessa *influência*, não no esforço. Mantém os olhos fixos no *objetivo* — que é *possuir-Me*, tu mesmo e também os outros. Assim o esforço voltado às coisas mundanas se dissipará automaticamente.

Deves estar sempre preparado para ir aonde te envio. Deparar-te-ás com algumas necessidades... não as rejeites. Apenas sê Minhas mãos e Meus olhos, onde quer que estejas, à disposição dos que Eu te mostro. Tens a Minha promessa de que oportunidades se *apresentarão* enquanto caminhas Comigo no novo da vida. Seguramente verás Minha atuação na vida de outros.

Se tiverdes amor uns pelos outros, todos reconhecerão que sois Meus discípulos.
(João 13,35)

Meu filho, lembra-te de deixar o Meu amor ser a resposta para tudo...

Perdido no Meu amor...

Olhando unicamente para o Meu amor...

Vê tudo o que faz parte da tua experiência *envolvido* por Meu amor. Vê tudo sobre o pano de fundo do Meu amor... esse amor transformando os efeitos das circunstâncias.

Manter-te conscientemente ao abrigo do Meu amor protetor... precisas transformar essa atitude numa *disciplina*, numa necessidade absoluta. A sensação sempre presente do Meu amor te dará uma alegria cada vez maior. Procede sem pressa para que as Minhas promessas possam cumprir-se.

Os desígnios que formei a vosso respeito são de paz.
(Jeremias 29,11)

Quando uma pessoa, em consequência da atenção que dedica a Mim e da confiança que tem em Mim, Me *envolve* em sua vida, isto é sempre um *milagre* — envolvimento. Onde a Minha influência atua com o consentimento da pessoa, ela se torna uma extensão da lei de Deus. Ocorrem então mudanças milagrosas automáticas tanto na vida dessa pessoa como na vida de outras com quem ela está em contato. O milagroso se manifesta por causa da Minha proximidade!

A ajuda que recebes é reconhecida cada vez mais como Minha... a sensibilização de corações, o benefício de cada esforço. Olhar para Mim e buscar a Minha sabedoria é como se Eu mesmo estivesse agindo... és verdadeiramente Meu parceiro na tarefa de plasmar os eventos. As tuas orações pelos outros leva a Minha ação a dissipar a influência do mal em seus corações.

Quem crê em Mim fará as obras que faço.
(João 14,12)

A questão toda consiste em acreditar que Eu posso fazer o melhor possível num mundo que às vezes dá a impressão de ter sido abandonado. Procura revelar-Me como a resposta plena às necessidades de *qualquer* pessoa. Alimenta os meus cordeiros...

Como o Meu amor não muda, a Minha *atividade* não cessa. Muitos restringiram a Minha ação em suas vidas afastando-se do caminho de fé e esperança.

Demonstra ser sábio quem confia nas Minhas promessas e não dá ouvidos a outras vozes. Eu vim para alegrar os corações de todos os que voltam seu olhar apenas para Mim. Na Minha presença, entregues a Mim, teus pensamentos dependem cada vez mais de Mim.

Credes agora?
(João 16,31)

Não podes evitar o *esforço* da escolha — a ação — que *define* a vitória. Quando escolhes o Meu caminho, a vitória está *sempre* ao alcance da tua mão, e verás que não Me engano.

Por causa da urgência desesperada de caminhar no novo da vida, Eu te dou, no Meu amor, poder renovado para recuperar terreno perdido... com o mal reduzido à sua impotência. Confia — absolutamente — que Eu posso te conscientizar da tua ofensa a Mim, e então levar-te à vitória completa.

Meu filho, não deixes que as tuas defesas se rompam. Quero que experimentes a caminhada confiante (empreendida, no sentido mais pleno) pela primeira vez.

Meu caminho adiante... usando a tua sabedoria, mostrando coragem e evitando tudo que seja automotivado.

Peço que os guardes do Maligno.
(João 17,15)

Quando uma conduta tua Me agride, um sentimento intenso de constrangimento te acompanhará ao te dirigires a Mim... um *obscurecimento do Meu amor*. A sensação de termos conquistado a vitória juntos estará dissipada. Se um comportamento Me ofende, pelo motivo que for, continuarás a não ter paz, se estiveres em sintonia com a Minha vontade.

Lembra a pressão do mal tanto para o pecado como para o medo, e transforma cada tentativa de ação do mal num momento de vitória Comigo. Ao fazer isso, sente a Minha paz e a força que te prometi. Procede com liberdade na Minha luz, confiando na voz interior que te exorta, prevenindo-te da ocasião de perigo. Eu te mostrarei claramente o que está errado, mas evita a consciência *pesada* e o medo das consequências. Não permitas que o mal te paralise quando entregas teu coração a Mim e quando a Minha vontade é suprema.

Quem segue a verdade caminha na Minha luz.

(João 3,21)

Meu filho, almeja *somente* a verdade...

Quando a verdade prevalece *agora*, ela evita mal--entendidos intermináveis mais tarde. Por isso, deixa que Eu oriente tudo segundo a *Minha* direção. *Observa*-Me realizando admiravelmente a Minha vontade. Quanto a ti, simplesmente

relaxa na Minha sabedoria,

aprende a ser sensível à Minha ação.

Não esqueças que Eu posso tocar *todos* os corações e que, Comigo, a escuridão sempre se iluminará.

Podes seguramente permitir *acontecimentos* que te mostrem o caminho adiante, desde que Meu *testemunho correspondente* esteja no teu coração.

Minha ação a teu favor é *favorecida* quando cultivas a pessoa que Eu quero que sejas e quando tudo é feito no novo da vida.

Amai a verdade.
(Zacarias 8,19)

Não notas que Eu estou trabalhando? Não posso descuidar de nada que seja para o teu bem. Eu sou ativo o tempo todo em tudo aquilo que confiaste a Mim; significa que deves continuar tendo confiança absoluta em Mim. Tem consciência da Minha influência constante:

em dar a paz...

em estimular relações...

em "fazer direito"...

Permanece sempre perto ao enfrentarmos situações da vida como *parceiros* e ao seres levado para o que planejei para ti. Deves *sentir* a nossa unidade...

Que Eu seja cada vez mais precioso para ti — Minha Paternidade, Minha compreensão, Minha atividade constante para ti.

O caminho do amor...

Amor emanando de ti...

Amor *entre nós*...

Retornai a Mim de todo vosso coração.
(Joel 2,12)

Meu filho, Eu permito que vejas a escuridão absoluta ocasionalmente para que saibas até onde o mal pode se infiltrar. Mas lembra que o teu coração está voltado para Mim. Por isso, atos pecaminosos dos quais tenhas te arrependido são confinados onde não podem influenciar o futuro.

Agradece-Me sempre por Meu amor ter derrotado totalmente o pecado e por *somente* o Meu amor permanecer.

Quando o mal tenta fazer-te reviver ocasiões de pecado, quando usa circunstâncias para reintroduzir a culpa e o medo, afirma fortemente o Meu perdão, pois Eu *te protejo* contra a voz acusadora do mal.

Há alegria no céu por um só pecador que se arrependa.
(Lucas 15,10)

Aprendeste a repousar no Meu amor em *cada* situação?

Quando o Meu amor te envolve — sustentado por tua atitude de descanso — tudo o que acontece dentro dele serve aos Meus propósitos. Por isso, a paz e a gratidão podem prevalecer.

Lembra que o caminho para a vitória é o olhar fixo em Mim, deixando que a Minha força seja aplicada e vendo a área de fraqueza ou de dificuldade ceder à Minha presença. Aplica sempre a Minha presença *cedo*...

Alegra-te em deixar-Me conduzir... o que pode significar abandonar planos elaborados apressadamente que não incluíam a consciência clara da Minha urgência. Se Eu trabalho para ti, o *ritmo* deve ser Meu, para que a harmonia predomine. Não faças nada por medo, pois Eu atendo às tuas necessidades no *Meu* caminho.

Aprendei de Mim.
(Mateus 11,29)

Procura sempre percorrer o caminho conhecido — o caminho que te revelei. Obedecendo firmemente aos Meus desejos *conhecidos*, podes confiantemente deixar-Me mostrar o caminho nos aspectos que apresentam problemas. Eu sei que segurarás a Minha mão nas situações desconhecidas e que te lembrarás do *poder das tuas orações* sobre pessoas e sobre circunstâncias. Quando um caminho está aberto, depois de procurar a Minha vontade, não deixes que medos te detenham. Não queiras "resolver" cada problema sem antes dar esse passo Comigo.

Fala com franqueza, procurando a simplicidade. Nada em tua caminhada deve ser complicado ou de algum modo tortuoso. Assegura tua *direção* da viagem, vendo tudo ajudando-te ou então dificultando teu avanço. Se o *amor* está presente — por Mim e por Meus filhos — não há obstáculo para perceber a verdade.

Quem cumpre a vontade de Deus
reconhecerá a verdade do Seu ensinamento.
(João 7,17)

Não "alimentes" o ego de modo nenhum. Suprime as motivações do ego colocando-as sob a Minha vitória. Deixa *imediatamente* que a energia que se derrama sobre o ego se derrame, em vez, sobre a preocupação para Comigo, agradando-Me, e sobre a nossa comunhão. Deixa que essa energia flua para a preocupação com as necessidades dos outros.

Afastando-se, afastando-se...

Louvando...

Confiando que Eu atenda às tuas necessidades...

Uma disciplina férrea é necessária, usando a Minha vitória, para não te dedicares a nada que seja motivado pelo ego; assim o fluxo para os outros não será obstruído. Receberás ajuda ao veres que Me *coloco entre ti* e a pressão do mal para te concentrares no ego e em suas necessidades. Meu filho, entregando-te a Mim, podes observar os velhos hábitos do ego abandonando tua vida e o mal recuando.

Quem ama sua vida a perde.
(João 12,25)

O único fardo que deves carregar é o da responsabilidade de Me amar e de Me servir. Quando me deixas conduzir e vês a Minha mão nos acontecimentos, não te preocupes. Entrega-te sempre ao Meu amor — que garante a tua paz e influencia os eventos — mesmo quando tens consciência de faltas recentes.

Agora mais do que nunca, podes deixar que Eu *assuma a direção* — atestando os resultados da Minha ação — tanto nos fatos à tua volta quanto na Minha força para responder a esses fatos com eficácia. O mal tenta constantemente destruir a tua paz. Não dês ouvidos às suas mentiras. Não penses que estás à mercê das práticas antigas — pensar assim é negar-Me.

Tens a vitória sobre o mal, e por isso deves usá-la, percorrendo o Meu caminho de alegria e coragem, sejam quais forem as circunstâncias.

Eu via Satanás cair do céu como um relâmpago.
(Lucas 10,18)

O Meu amor...

    resolvendo todos os conflitos,

    atendendo a todas as necessidades,

    cuidando de todos os teus interesses.

É amor *sem limite...* um amor realmente ativo a teu favor.

Continua deixando voluntariamente tudo para trás em Meu amor enquanto sigo à tua frente. Faze de cada necessidade motivo de oração e pede constantemente a Minha força para as exigências da vida.

É a Minha vitória que *sempre* estabelece a rendição nas escolhas de cada dia. Que a tua boa vontade e sacrifício produzam uma mudança radical agora, enquanto abandonas as velhas práticas.

Pede que Eu aumente o teu amor...

    amor pelas pessoas ligadas a ti,

    amor por todos os que podem receber através de ti.

**Mostra-te fiel até a morte para que
possas receber a coroa da vida.**
(Apocalipse 2,10)

R eine a paz...

Enquanto permaneces no Meu amor, que o amor te fortaleça para obedecer. Sim, *abrigado* no Meu amor... essa é sempre a tua necessidade imediata.

Lembrando de *usar* a Minha presença...

Glorificando Meu nome...

Minhas mãos *tuas* mãos...

Minha *amoldagem*...

Refletindo-Me...

Que haja muito silêncio... garantindo a comunhão Comigo, nunca com o que é falso ou indigno.

Com a Minha presença e a Minha influência aumentando dia a dia, nenhum elemento de esforço. *Dispersa* as trevas e, com determinação, caminha na Minha luz com coragem...

És precioso aos Meus olhos.
(Isaías 43,4)

O mal sempre espreita uma oportunidade para te levar ao pecado. Isso *não* pode afetar as Minhas promessas para ti, desde que haja verdadeira contrição e o Meu perdão.

À medida que tuas vitórias sobre o pecado aumentam, descobres que as ocasiões de queda também aumentam.

Quando *confiarás* em Mim? A influência do mal é insignificante diante do Meu poder.

A simples entrega a Mim (em *qualquer* momento — não importando o que tenha acontecido antes) produz uma mudança de situação.

Continua a absorver a Minha influência (repelindo firmemente a dúvida) enquanto Eu te protejo.

**Eu orei por ti, a fim de que
tua fé não desfaleça.**
(Lucas 22,32)

Quando tomas a decisão de caminhar no plano superior, na luz da Minha presença, sabe que o mal não tem poder para te influenciar. Em cada situação, é perfeitamente natural escolheres a luz.

Enquanto te manténs no resplendor do Meu amor por ti, confia em Mim totalmente para manter o mal sob controle.

Sabes que tens uma grande medida de liberdade — *a liberdade do Meu amor* — desde que observes o princípio de não Me magoar.

Entregando-te à Minha influência cada dia, não esqueças que tens uma *sabedoria* correspondente, que podes seguir corajosamente.

Se compreenderdes isso e o
praticardes, sereis felizes.
(João 13,17)

Quero que tornes o Meu *amor* a força propulsora de cada vitória que conquistas.

Cultiva essa firmeza ao seguir o caminho que Eu te mostrei, sem transigir. Lembra-te do *esforço* da escolha — até que ele se torne uma segunda natureza em ti.

Assim que te dás conta de que estás seguindo as velhas práticas, volta-te para a luz e acolhe-Me, enquanto o intruso se rende.

O *apelo a Mim* — muitas vezes aflito — pode sempre ser feito com total confiança na Minha ajuda em tua fraqueza.

Sê forte, porque Eu estou contigo.
(Ageu 2,4)

O mal sempre tenta enganar-te.

Sim, ele te *enganou* quando te impediu de levar cada situação ao Meu amor; ele te enganou quando te forçou a agir precipitadamente ou a duvidar, por algum tempo, do Meu poder de te sustentar e proteger; ele te enganou quando te induziu a ter medo das consequências, embora ciente de que aquela direção era vontade Minha.

Lembra que embora tenhas consciência da atividade do mal, *não* precisas te submeter a ele. Quero que o evites, resistindo a todas as suas provocações; podes *observar-Me* levando-te à vitória enquanto enfrentas essas provocações.

Satanás pediu insistentemente para
vos peneirar como trigo.
(Lucas 22,31)

Minha luz iluminando tudo o que está no presente, dele dissipando toda circunstância dissonante. Enquanto a Minha luz brilhar *em* ti, a Minha preciosa paz estará infalivelmente presente para atender necessidades. Tem sempre consciência da Minha compreensão para que possas *repousar* sobre ela, deixando que remova quaisquer outros desejos.

Traze a Mim toda circunstância assim que ela surja... para que a Minha influência imediata possa estar sobre ela. Não reajas pressionado, mas simplesmente entrega o assunto a Mim — silenciosamente onde deves.

Meu filho, o trabalho de *transformação*... fazendo as circunstâncias que me entregas trabalhar para o teu bem, por causa da Minha afeição por ti. Por isso, em cada situação — muitas delas não causadas por ti — apenas corre a Mim.

Como posso falhar contigo?

Meu fardo é leve.
(Mateus 11,30)

Ao olhares para o futuro, decide ser fiel a Mim; fiel a ti mesmo; sensível às necessidades daqueles cujas vidas estão ligadas à tua.

Tenho em Minhas mãos alguns aspectos da tua vida que não podes conhecer. A única coisa que podes então fazer é seguir o Meu caminho. Apenas lança boas fundações: tua caminhada Comigo, teus contatos *piedosos* com outros.

O teu futuro está seguro no Meu amor, para sempre... vê tudo o que acontece na terra em relação com essa realidade. Uma apreciação parcial dessa experiência fundamental te é assegurada cada dia. A Minha promessa mais solene é que estarás Comigo onde Eu estou, na glória... embora por um caminho pedregoso.

Alegria, *sempre*... porque não deixarei que nada te afaste de Mim.

Meu filho, eu te abençoo. Repousa totalmente o teu espírito, agora, no Meu amor.

Estar comigo onde Eu estou e contemplar a minha glória.
(João 17,24)

O caminho que percorreste Comigo até aqui *deve* significar a presença de mais amor no teu coração... mas deseja intensamente *ainda mais*!

Deixa somente o que é do amor estar em ti agora... extraindo teu amor, tanto para Mim como para os Meus outros filhos.

O Meu amor, refletido em ti, pode alcançar grandes coisas; o amor tem sucesso onde o intelecto fracassa; é bem-sucedido onde a força malogra; deixa que ele domine cada aspecto da tua existência.

Amor... no seu sentido mais puro e verdadeiro... é algo com que já estarás parcialmente familiarizado quando finalmente entrares na Minha presença imediata.

Até então, Meu filho, contempla o *resplendor* do meu terno amor.

Deixa que esse resplendor continue a dissipar o medo à medida que percorres o caminho Comigo.

Para que a vossa alegria seja completa.
(João 16,24)

Até que chegues à plena compreensão da Minha presença imediata, Eu te dou tudo o que precisas, consciente dessa presença, para percorrer a experiência do mundo.

Por causa das limitações da carne, tiveste de aprender a caminhar com confiança, sem revelações de Mim mesmo. O que Eu te prometo é que, se queres trilhar o Meu caminho, podes encontrar a sensação da Minha presença, sempre mais forte do que as condições presentes.

Vendo a tua relação Comigo como fator vital em tua vida, cultivas um desapego sensato da sorte instável da terra.

Meu filho, vê este mundo como um campo de treinamento especial em que o espiritual aumenta continuamente, preparando-te para aquilo que tu e Eu tanto almejamos. Entrega todas as ansiedades terrenas enquanto o Meu amor preenche a tua consciência.

Ajunta para ti tesouros no céu.
(Mateus 6,20)

Meus filhos precisam saber o quanto é prazerosa a vida vivida na Minha presença, no reino do espírito. Tudo o que é falto de harmonia, tudo o que é falto de amor e de paz será banido. Será uma vida de esquecimento de si, onde somente a verdade brilhará.

Na Minha presença, os que lutaram fielmente ao longo da existência terrena e mantiveram viva a esperança que Eu lhes dei ampliarão o que foi desenvolvido neles.

Os que passaram por ti na jornada, por ordens Minhas já compartilham os Meus propósitos de amor. Amor *é tudo*... o puro estímulo do amor e as recompensas do amor. Tudo está planejado para atrair mais e mais almas para o plano superior que Eu preparei para elas.

Tu também, Meu filho, podes ter certeza desta maravilhosa e inigualável vocação, quando cada dia Me agradeces...

> por seres Meu *para sempre*,

> por seres Meu servidor *para sempre*.

Eu darei gratuitamente da fonte de água viva.
(Apocalipse 21,6)

O Caminho Adiante

Eu dei aos homens a matéria-prima de sua herança. Em suas escolhas e em sua fidelidade ao Meu caminho dá-se o enriquecimento de todo seu ser por Minhas promessas. Uma *criação*-promessa acompanha essa caminhada Comigo.

Meu filho, ao recorrer a Mim para as necessidades da vida, o próprio apelo determina a realização da promessa. A percepção da promessa em teu coração se torna mais segura. Vês o futuro *preenchido* Comigo e operas a exclusão gradual de tudo o que não procede de Mim.

A Minha presença brilha sobre todas as tuas experiências e as transforma em oportunidades para consolidação da tua herança.

Vê as Minhas promessas muito acima de qualquer coisa que o homem poderia imaginar. Vê-as como uma expressão de amor... um *anseio* para que desfrutes o que estou preparando para ti.

Se és tentado a pensar que uma promessa é apenas uma esperança autogerada, olha imediatamente mais uma vez para a luz-amor d'Aquele que vela por ti. Verás então que Eu e as Minhas promessas somos indivisíveis... e a tua confiança e esperança podem então voltar!

Um estado de verdadeira veneração existe nessa interação da tua confiança e do Meu amor. De ti Eu recebo a confirmação da tua lealdade e da continuação da caminhada Comigo; de Mim, tens o sentido inestimável de um amor que se manifesta na Minha alegria e provisão prometidas.

Podes agora ver por que os Meus servidores não foram afetados pelas condições da vida em que foram colocados por causa da sua lealdade a Mim. Sustentá-los foi a esperança inamovível de realizar Minhas promessas. Seu objetivo determinado assegurou que fossem *elevados* à esfera do amor-promessa, onde as agressões deste mundo são neutralizadas. Tu também, Meu filho, deves trilhar resolutamente esse caminho... permitindo que as experiências do mundo simplesmente fortaleçam a relação com o Autor da Promessa.

O que vês quando olhas para Mim são mãos estendidas... convidando-te a entrar no reino da promessa, acolhendo-te para levar-te para mais perto desse reino. Isso, mais do que todo esforço ou planejamento, assegura a tua chegada no teu verdadeiro destino.

A Minha *centralidade*, e da promessa encarnada em Mim, irá agora aproximar cada potencial da tua vida.

Confiar na fidelidade das Minhas promessas significa que no primeiro plano da tua vida, o tempo todo, está a Minha influência. Uma confiança singela na Minha palavra representa verdadeira maturidade espiritual.

Meu filho, promessas que nutres para ti mesmo agora fazem a diferença decisiva em tua caminhada no espírito por um mundo decaído.

O teu espírito é posto em liberdade por Minhas promessas e depende para seu suprimento de tudo o que Eu sou, e não do que o mundo pode dar!

★ ★ ★

ANOTAÇÕES

ANOTAÇÕES

ANOTAÇÕES

EM MOMENTOS DE NECESSIDADE
ou
EM CRISES DA VIDA

ANSEIO DIVINO
pp. 63, 233, 238

ANSIEDADE, ABORRECIMENTO
pp. 24, 67, 80, 95, 139, 166, 202, 207, 220, 222, 237

COMUNHÃO COM ELE
pp. 33, 35, 50, 63, 64, 67, 88, 131, 166, 197

CONFIANÇA
pp. 23, 51, 59, 66, 72, 94, 119, 133, 161, 164, 175, 188, 194, 222, 235, 244

CRISES INESPERADAS
pp. 27, 34, 75, 95, 125, 147, 155

CRUZ (A)
pp. 15, 79, 100, 103

DECEPÇÕES, REVESES
pp. 42, 117, 123, 135, 145, 147, 224

ENCARNAÇÃO (A)
pp. 14, 44, 71, 77, 146, 204, 230

FUTURO (O)
pp. 134, 138-140, 151, 159, 174, 195, 224, 270-273, 275-277

LOUVOR E VENERAÇÃO
pp. 21, 63, 69, 96, 100, 163, 178, 229

OBEDIÊNCIA À SUA PALAVRA
pp. 36, 37, 49, 54, 62, 87, 97, 99, 111, 128, 143, 150, 167, 170, 177, 199, 203, 219, 223, 240, 243

ORAÇÃO, INTERCESSÃO
pp. 65, 93, 104, 108, 122, 164, 176, 206

ORIENTAÇÃO
pp. 30, 81, 89, 102, 115, 160, 162, 207, 210, 219, 225, 240

PERDA, LUTO
pp. 20, 38, 120, 144, 181, 253

PERDÃO
pp. 18, 76, 79, 105, 136, 171, 180, 186, 193, 205, 211, 232, 241

REINO DE DEUS, SUA PROXIMIDADE (O)
pp. 17, 25, 73, 109, 112, 140, 208, 230, 234

RELACIONAMENTOS, RECONCILIAÇÃO
pp. 56, 86, 104, 122, 129, 149, 176

RENOVAÇÃO
pp. 40, 58, 67, 88, 105, 114, 166, 189, 197, 205, 211, 231, 236

SANTIFICAÇÃO
pp. 52, 61, 103, 106, 107, 116, 128, 148, 154, 156, 172, 173, 182, 184, 190, 191, 201, 221, 227

SERVINDO-O
pp. 31, 55, 57, 74, 126, 130, 137, 151, 153, 157, 158, 187, 200, 201, 213, 242, 245

SEU AMOR NA CRIAÇÃO
pp. 14, 117, 152, 181

SOLIDÃO, ISOLAMENTO ESPIRITUAL
pp. 17, 20, 26, 41, 45, 168, 183, 226, 241

SONO
pp. 24, 39, 90

SUA FIDELIDADE
pp. 40, 60, 68, 92, 133, 185, 192, 202

SUA PROTEÇÃO E PROVISÃO
pp. 17, 48, 60, 80, 84, 90, 92, 109, 124, 125, 141, 161, 192, 194, 218, 239

SUA SUFICIÊNCIA
pp. 66, 68, 92, 135, 161, 175, 186, 196, 198, 206

SUA SUPREMACIA, ESPERANÇA DA HUMANIDADE
pp. 13, 22, 28, 40, 83, 127, 134

SUAS PROMESSAS
pp. 142, 151, 174, 221, 246, 249, 254-256

TEMPO DE DÚVIDA
pp. 17, 109, 121, 133, 144, 185, 202, 204, 249, 253

TEMPO DE ESCURIDÃO E INCERTEZA
pp. 20, 29, 38, 46, 58, 80, 90, 96, 114, 121, 125, 144, 147, 155, 181, 216

TENTAÇÃO
pp. 53, 70, 78, 102, 106, 132, 160, 165, 177, 179, 215, 225, 248

UNIDADE COM ELE
pp. 16, 43, 47, 82, 85, 156, 182, 184, 190, 212, 217, 228

VITÓRIA EM SUA FORÇA
pp. 32, 53, 87, 91, 98, 101, 113, 118, 165, 169, 202, 206, 209, 218, 227, 232, 235, 247

Próximos Lançamentos

Para receber informações sobre os lançamentos da

Editora Pensamento, basta cadastrar-se

no site: www.editorapensamento.com.br

Para enviar seus comentários sobre este livro,

visite o site www.editorapensamento.com.br ou

mande um e-mail para atendimento@editorapensamento.com.br